新 潮 文 庫

歌行燈・高野聖

泉　鏡花著

新 潮 社 版

114

目次

歌行燈・高野聖

高野や聖ひじり

一

「参謀本部編纂《へんさん》の地図＊を又繰開いて見るでもなかろう、と思ったけれども、余りの道じゃから、手を触《ふる》るさえ暑くるしい、旅の法衣《ころも》の袖《そで》をかかげて、表紙を附けた折本になってるのを引張り出した。

飛驒《ひだ》から信州へ越える深山《みやま》の間道で、丁度立休らおうという一本の樹立《こだち》も無い、右も左も山ばかりじゃ。手を伸ばすと達《とど》きそうな峰があると、その峰へ峰が乗り、巓《いただき》が被《かぶ》さって、飛ぶ鳥も見えず、雲の形も見えぬ。

道と空との間に唯《ただ》一人我ばかり、凡《およ》そ正午と覚しい極熱《ごくねつ》の太陽の色も白いほどに冴《さ》え返った光線を、深々と戴《いただ》いた一重《ひとえ》の檜笠《ひのきがさ》に凌《しの》いで、こう図面を見た」

旅僧はそういって、握拳《にぎりこぶし》を両方枕《まくら》に乗せ、それで額を支えながら俯向《うつむ》いた。

道連《みちづれ》になった上人《しょうにん》は、名古屋からこの越前敦賀《つるが》の旅籠屋《はたごや》に来て、今しがた枕に就いた時まで、私《わたし》が知ってる限り余り仰向けになったことのない、つまり傲然《ごうぜん》として物を見ない質《たち》の人物である。

一体、東海道掛川《かけがわ》の宿《しゅく》から同じ汽車に乗り組んだと覚えている、腰掛の隅に頭《こうべ》を垂れて、死灰《しかい》の如《ごと》く控えたから別段目にも留まらなかった。

尾張の停車場《ステイション》で他《ほか》の乗組員は言合せたように、不残《のこらず》下りたので、函《はこ》の中には唯上人と私と二人になった。

この汽車は新橋を昨夜九時半に発《た》って、今夕《こんせき》敦賀に入ろうという、名古屋では正午《ひる》だったから、飯に一折の鮨《すし》を買った。旅僧も私と同じくその鮨を求めたのであるが、蓋《ふた》を開けると、ばらばらと海苔《のり》が懸った、五目飯《ちらし》の下等なので。

（やあ、人参《にんじん》と干瓢《かんぴょう》ばかりだ）と粗忽《そそ》ッかしく絶叫した、私の顔を見て旅僧は耐《こら》え兼ねたものと見える、吃々《くつくつ》と笑い出した、固《もと》より二人ばかりなり、知己《ちかづき》にはそれから成ったのだが、聞けばこれから越前へ行って、派は違うが永平寺《えいへいじ》*に訪ねるものがある、但《ただ》し敦賀に一泊とのこと。

若狭《わかさ》へ帰省する私もおなじ処で泊らねばならないのであるから、其処《そこ》で同行の約束が出来た。

渠《かれ》は高野山《こうやさん》に籍を置くものだといった、年配四十五六、柔和な、何等の奇も見えぬ、可懐《なつか》しい、おとなしやかな風采《とりなり》で、羅紗《らしゃ》の角袖《かくそで》の外套《がいとう》を着て、白のふらんねるの襟巻《えりまき》をしめ、土耳古形《トルコがた》の帽を被り、毛糸の手袋を嵌《は》め、白足袋《たび》に、日和下駄《ひよりげた》で、一見、僧《そう》侶《りょ》よりは世の中の宗匠というものに、それよりも寧《むし》ろ俗《ぞく》か。

（お泊りは何方《どちら》じゃな）といって聞かれたから、私は一人旅の旅宿のつまらなさを、染々歎息《しみじみたんそく》した、第一盆を持って女中が坐睡《いねむり》をする、番頭が空世辞《そらせじ》をいう、廊下を歩行《ある》くとじろじろ目をつける、何より最も耐え難いのは晩飯の支度が済むと、忽《たちま》ち灯《あかり》を行燈《あんどう》に換えて、薄暗い処でお休みなさいと命令されるが、私は夜が更《ふ》けるまで寐《ね》ることが出来ないから、その間の心持といったらない、殊《こと》にこの頃の夜は長し、東京を出る時から一晩の泊《とまり》が気になってならない位、差支《さしつか》えがなくば御僧《おんそう》と御一所に。

快く頷《うなず》いて、北陸地方を行脚《あんぎゃ》の節はいつでも杖《つえ》を休める香取屋《かとりや》というのがある、旧《もと》は一軒の旅店であったが、一人女《ひとりむすめ》の評判なのがなくなってからは看板を外した、けれども昔から懇意な者は断らず泊めて、老人《としより》夫婦が内端《うちわ》に世話をしてくれる、宜《よろ》しくばそれへ、その代《かわり》といいかけて、折を下に置いて、

（御馳走は人参と干瓢ばかりじゃ）

と呵々《からから》と笑った、慎み深そうな打見《うちみ》よりは気の軽い。

二

岐阜《ぎふ》では未《ま》だ蒼空《あおぞら》が見えたけれども、後は名にし負う北国空、米原《まいばら》、長浜は薄曇、

幽《かすか》に日が射《さ》して、寒さが身に染《し》みると思ったが、柳《やな》ヶ瀬《せ》では雨、汽車の窓が暗くなるに従うて、白いものがちらちら交って来た。

（雪ですよ）

（さようじゃな）といったばかりで別に気に留めず、仰いで空を見ようともしない、この時に限らず、賤《しず》ヶ岳《たけ》が、といって、古戦場を指した時も、琵琶湖《びわこ》の風景を語った時も、旅僧は唯頷いたばかりである。

敦賀で悚毛《おぞけ》の立つほど煩《わずら》わしいのは宿引の悪弊で、その日も期したる如く、汽車を下りると停車場《ステイション》の出口から町端《まちはな》へかけて招きの提灯《ちょうちん》、印傘《しるしがさ》の堤を築き、潜抜《くぐりぬ》ける隙《すき》もあらなく旅人を取囲んで、手《て》ン出《で》に喧《かまびす》しく己《おの》が家号を呼立てる、中にも烈《はげ》しいのは、素早く手荷物を引手繰《ひったく》って、へい難有《ありがと》う様で、を喰《くら》わす、頭痛持は血が上るほど耐《こら》え切れないのが、例の下を向いて悠々《ゆうゆう》と小取廻《ことりまわし》に通抜ける旅僧は、誰も袖を曳《ひ》かなかったから、幸いその後に跟《つ》いて町へ入って、吻《ほっ》という息を吐《つ》いた。

雪は小止《おやみ》なく、今は雨も交らず乾いた軽いのがさらさらと面《おもて》を打ち、宵《よい》ながら門を鎖《とざ》した敦賀の通はひっそりして一条二条縦横《たてよこ》に、辻《つじ》の角は広々と、白く積った中を、道の程八町ばかりで、唯《と》ある軒下に辿《たど》り着いたのが名指《なざし》の香取屋。

床《とこ》にも座敷にも飾りといっては無いが、柱立《はしらだち》の見事な、畳の堅い、炉の大いなる、自在鍵《かぎ》の鯉《こい》は鱗《うろこ》が黄金造《こがねづくり》であるかと思わるる艶《つや》を持った、素ばらしい竈《へっつい》を二ツ並べて一斗飯は焚《た》けそうな目覚しい釜の懸った古家で。

亭主は法然天窓《ほうねんあたま》*、木綿の筒袖の中へ両手の先を竦《すく》まして、火鉢の前でも手を出さぬ、ぬうとした親仁《おやじ》、女房の方は愛嬌《あいきょう》のある、一寸《ちょっと》世辞の可《い》い婆さん、件《くだん》の人参と干瓢の話を旅僧が打出すと、莞爾々々《にこにこ》笑いながら、縮緬雑魚《ちりめんざこ》と、鰈《かれい》の干物《ひもの》と、とろろ昆布《こんぶ》の味噌汁とで膳《ぜん》を出した、物の言振取成《いいぶりとりなし》なんど、如何《いか》にも、上人とは別懇の間と見えて、連の私の居心の可《い》いと謂《い》ったらない。

やがて二階に寝床を拵《こしら》えてくれた。天井は低いが、梁《うつばり》は丸太で二抱《ふたかかえ》もあろう、屋の棟から斜に渡って座敷の果の廂《ひさし》の処《ところ》では天窓《あたま》に支《つか》えそうになっている、頑丈な屋造《やづくり》、これなら裏の山から雪崩《なだれ》が来てもびくともせぬ。

特に炬燵《こたつ》が出来ていたから私はそのまま嬉しく入った。寝床はもう一組同一《おなじ》炬燵に敷いてあったが、旅僧はこれには来《きた》らず、横に枕を並べて、火の気のない臥床《ねどこ》に寝た。

寝る時、上人は帯を解かぬ、勿論《もちろん》衣服も脱がぬ、着たまま円くなって俯向形《うつむきなり》に腰からすっぽりと入って、肩に夜具の袖を掛けると手を突いて畏《かしこま》った、その様子は我々と反対で、顔に枕をするのである。

程なく寂然《ひっそり》として寐《ね》に就きそうだから、汽車の中でもくれぐれいったのは此処《ここ》のこと、私は夜が更けるまで寐ることが出来ない、あわれと思ってもう暫《しばら》くつきあって、そして諸国を行脚なすった内のおもしろい談《はなし》を、といって打解けて幼らしくねだった。

すると上人は頷いて、私《わし》は中年から仰向けに枕に就かぬのが癖で、寝るにもこのままではあるけれども目は未だなかなか冴えている、急に寐就かれないのはお前様と同一《おんなじ》であろう。出家のいうことでも、教《おしえ》だの、戒《いましめ》だの、説法とばかりは限らぬ、若いの、聞かっしゃい、と言って語り出した。後で聞くと宗門名誉の説教師で、六明寺《りくみんじ》の宗朝《しゅうちょう》という大和尚《だいおしょう》であったそうな。

三

「今にもう一人此処《ここ》へ来て寝るそうじゃが、お前様と同国じゃの、若狭の者で塗物の旅商人《たびあきんど》。いやこの男なぞは若いが感心に実体《じってい》な好い男。

私《わし》が今話の序開《じょびらき》をしたその飛騨《ひだ》の山越《やまごえ》を遣《や》った時の、麓《ふもと》の茶屋で一緒になった富山《とやま》の売薬という奴あ、けたいの悪い、ねじねじした厭《いや》な壮佼《わかいもの》で。

先《ま》ずこれから峠に掛ろうという日の、朝早く、尤《もっと》も先《せん》の泊はものの三時位には発って来たので、涼しい内に六里ばかり、その茶屋までのしたのじゃが朝晴でじりじり暑いわ。

慾張抜いて大急ぎで歩いたから咽《のど》が渇いて為様《しよう》があるまい、早速茶を飲もうと思うたが、まだ湯が沸いておらぬという。

どうしてその時分じゃからというて、滅多に人通のない山道、朝顔の咲いてる内に煙が立つ道理もなし。

床几《しょうぎ》の前には冷たそうな小流《こながれ》があったから手桶《ておけ》の水を汲《く》もうとして一寸《ちょいと》気がついた。

それというのが、時節柄暑さのため、可恐《おそろ》しい悪い病が流行《はや》って、先に通った辻などという村は、から一面に石灰《いしばい》だらけじゃあるまいか。

(もし、姉さん)といって茶店の女に、

(この水はこりゃ井戸のでござりますか)と、極《きま》りも悪し、もじもじ聞くとの。

(いんね、川のでございます)という、はて面妖《めんよう》なと思った。

(山したの方には大分流行病《はやりやまい》がございますが、この水は何から、辻の方から流れて来るのではありませんか)

(そうでねえ)と女は何気なく答えた、先ず嬉しやと思うと、お聞きなさいよ。

此処に居て、先刻《さっき》から休んでござったのが、右の売薬じゃ。この又万金丹《まんきんたん》*の下廻《したまわり》と来た日には、御存じの通り、千筋《せんすじ》の単衣《ひとえ》に小倉《こくら》の帯、当節は時計を挟《はさ》んでいます、脚絆《きゃはん》、股引《ももひき》、これは勿論、草鞋《わらじ》がけ、千草木綿《ちぐさもめん》の風呂敷包の角ばったのを首に結えて、桐油合羽《とうゆがっぱ》を小さく畳んで此奴《こいつ》を真田紐《さなだひも》で右の包につけるか、小弁慶《こべんけい》の木綿の蝙蝠傘《こうもりがさ》を一本、お極《きまり》だね。一寸見《ちょいと》ると、いやどれもこれも克明で、分別のありそうな顔をして。

これが泊《とまり》に着くと、大形の浴衣《ゆかた》に変って、帯広解《おびひろげ》で焼酎《しょうちゅう》をちびりちびり遣りながら、旅籠屋の女のふとった膝《ひざ》へ脛《すね》を上げようという輩《やから》じゃ。

(これや、法界坊*)

なんて、天窓《あたま》から嘗《な》めていら。

(異《おつ》なことをいうようだが何かね、世の中の女が出来ねえと相場が極って、すっぺら坊主になって、やっぱり生命《いのち》は欲しいのかね、不思議じゃあねえか、争われねえもんだ、姉さん見ねえ、あれで未だ未練のある内が可《い》いじゃあねえか)といって顔を見合せて二人で呵々《からから》と笑った。

年紀《とし》は若し、お前様《さん》、私《わし》は真赤になった、手に汲んだ川の水を飲みかねて猶予《ためら》っているとね。

ポンと煙管《きせる》を払《はた》いて、

(何、遠慮をしねえで浴びるほどやんなせえ、生命《いのち》が危くなりゃ、薬を遣らあ、その為《ため》に私がついてるんだぜ、なあ姉さん。おい、それだっても無銭《ただ》じゃあ不可《いけね》えよ、憚《はばか》りながら神方《しんぽう》万金丹、一貼《じょう》三百だ、欲しくば買いな、未だ坊主に報捨をするような罪は造らねえ、それとも、どうだお前いうことを肯《き》くか）といって茶店の女の背中を叩《たた》いた。

私《わし》は匆々《そうそう》に遁出《にげだ》した。

いや、膝だの、女の背中だのといって、いけ年《とし》を仕《つかまつ》った和尚が業体《ぎょうてい》で恐入るが、話が、話じゃから其処は宜しく」

四

「私《わし》も腹立紛れじゃ、無暗《むやみ》と急いで、それからどんどん山の裾を田圃道《たんぼみち》へかかる。

半町ばかり行くと、路《みち》がこう急に高くなって、上りが一カ処、横から能《よ》く見えた、弓形《ゆみなり》でまるで土で勅使橋がかかってるような。上を見ながら、これへ足を踏懸《ふみか》けた時、以前の薬売《くすりうり》がすたすた遣って来て追着いたが。

別に言葉も交《かわ》さず、又ものをいったからというて、返事をする気は此方《こっち》にもない。何処《どこ》までも人を凌《しの》いだ仕打な薬売は流眄《しりめ》にかけて故《わざ》とらしゅう私《わし》を通越して、すたすた前へ出て、ぬっと小山のような路の突先《とっさき》へ蝙蝠傘を差して立ったが、そのまま向うへ下りて見えなくなる。

その後から爪先《つまさき》上り、やがてまた太鼓の胴のような路の上へ体が乗った、それなりに又下りじゃ。

売薬は先へ下りたが立停まって頻《しきり》に四辺《あたり》を眴《みまわ》している様子、執念深く何か巧《たくら》んだかと、快からず続いたが、さてよく見ると仔細《しさい》があるわい。

路は此処で二条《ふたすじ》になって、一条はこれから直《すぐ》に坂になって上りも急なり、草も両方から生茂《おいしげ》ったのが、路傍《みちばた》のその角の処にある、それこそ四抱《よかかえ》、そうさな、五抱《いつかかえ》もあろうという一本の檜《ひのき》の、背後《うしろ》へ蜿《うね》って切出したような大巌《おおいわ》が二ツ三ツ四ツと並んで、上の方へ層《かさ》なってその背後へ通じているが、私《わし》が見当をつけて、心組んだのは此方《こっち》ではないので、やっぱり今まで歩いて来たその幅の広いなだらかな方が正《まさ》しく本道、あと二里足らず行けば山になって、それからが峠になる筈《はず》。

唯《と》見ると、どうしたことかさ、今いうその檜じゃが、其処らに何にもない路を横断《よこぎ》って見果《みはて》のつかぬ田圃の中空《なかぞら》へ虹のように突出ている。見事な、根方《ねがた》の処の土が壊《くず》れて大鰻《おおうなぎ》を捏《こ》ねたような根が幾筋ともなく露《あらわ》れた、その根から一筋の水が颯《さっ》と落ちて、地の上へ流れるのが、取って進もうとする道の真中に流出《ながれだ》してあたりは一面。

田圃が湖にならぬが不思議で、どうどうと瀬になって、前途《ゆくて》に一叢《ひとむら》の藪《やぶ》が見える、それを境にして凡そ二町ばかりの間まるで川じゃ。礫《こいし》はばらばら、飛石のようにひょいひょいと大跨《おおまた》で伝えそうにずっと見ごたえのあるのが、それでも人の手で並べたに違いはない。

尤も衣服《きもの》を脱いで渡るほどの大事なのではないが、本街道には些《ち》と難儀過ぎて、なかなか馬などが歩行《ある》かれる訳のものではないので。

売薬もこれで迷ったのであろうと思う内、切放れよく向を変えて右の坂をすたすたと上りはじめた。見る間に檜を後《うしろ》に潜《くぐ》り抜けると、私《わし》が体の上あたりへ出て下を向き、(おいおい、松本へ出る路は此方《こっち》だよ)といって無造作にまた五六歩。

岩の頭へ半身を乗出して、

(茫然《ぼんやり》してると、木精《こだま》が攫《さら》うぜ、昼間だって容赦はねえよ)と嘲《あざけ》るが如《ごと》く言い棄てたが、やがて岩の陰に入って高い処の草に隠れた。

暫くすると見上げるほどな辺《あたり》へ蝙蝠傘の先が出たが、木の枝とすれすれになって茂みの中に見えなくなった。

(どッこいしょ)と暢気《のんき》なかけ声で、その流の石の上を飛々《とびとび》に伝って来たのは、茣蓙《ござ》の尻当《しりあて》をした、何にもつけない天秤棒《てんびんぼう》を片手で担《かつ》いだ百姓じゃ」

五

「先刻《さっき》の茶店から此処へ来るまで、売薬の外は誰にも逢《あ》わなんだことは申上げるまでもない。

今別れ際《ぎわ》に声を懸けられたので、先方《むこう》は道中の商売人と見ただけに、まさかと思っても気迷がするので、今朝も立ちぎわによく見て来た、前にも申す、その図面をな、此処でも開けて見ようとしていたところ。

（一寸《ちよいと》伺いとう存じますが）

（これは何でござりまする）と山国の人などは殊《こと》に出家と見ると丁寧にいってくれる。

（いえ、お伺い申しますまでもございませんが、道はやっぱりこれを素直《まっすぐ》に参るのでございましょうな）

（松本へ行かっしゃる？　ああああ本道じゃ、何ね、この間の梅雨《つゆ》に水が出て、とてつもない川さ出来たでがすよ）

（未だずっと何処までもこの水でございましょうか）

（何のお前様、見たばかりじゃ、訳はござりませぬ、水になったのは向うのあの藪までで、後はやっぱりこれと同一《おなじ》道筋で、山までは荷車が並んで通るでがす。藪のあるのは旧《もと》大きいお邸《やしき》の医者様の跡でな、此処等《ここいら》はこれでも一ツの村でがした、十三年前の大水の時、から一面に野良になりましたよ、人死《ひとじに》もいけえこと。御坊様歩《ある》行きながらお念仏でも唱えて遣ってくれさっしゃい）と問わぬことまで深切に話します。それで能く仔細が解って確になりはなったけれども、現に一人踏迷った者がある。

（此方《こちら》の道はこりゃ何処へ行くので）といって売薬の入った左手《ゆんで》の坂を尋ねてみた。

（はい、これは五十年ばかり前までは人が歩行《ある》いた旧道でがす。やっぱり信州へ出まする、先は一つで七里ばかり総体近うござりますが、いや今時往来の出来るのじゃあござりませぬ。去年も御坊様、親子連《づれ》の巡礼が間違えて入ったというで、はれ大変な、乞食《こじき》をみたような者じゃというて、人命に代りはねえ、追《おっ》かけて助けべえと、巡査様《おまわりさま》が三人、村の者が十二人、一組になってこれから押登って、やっと連れて戻った位でがす。御坊様も血気に逸《はや》って近道をしてはなりましねえぞ、草臥《くたび》れて野宿をしてからが此処を行かっしゃるよりは増《まし》でござるに。はい、気を付けて行かっしゃれ）

此処で百姓に別れてその川の石の上を行こうとしたがふと猶予《ためら》ったのは売薬の身の上で。

まさかに聞いたほどでもあるまいが、それが本当ならば見殺しじゃ、どの道私は出家の体、日が暮れるまでに宿へ着いて屋根の下に寝るには及ばぬ、追着《おっつ》いて引戻して遣ろう。罷違《まかりちご》うて旧道を皆歩行《ある》いても怪《け》しゅうはあるまい、こういう時候じゃ、狼《おおかみ》の旬《しゅん》でもなく、魑魅魍魎《ちみもうりょう》*の汐《しお》さきでもない、ままよ、と思うて、見送ると早や深切な百姓の姿も見えぬ。

（可《よ》し）

思切って坂道を取って懸った、侠気《おとこぎ》があったのではござらぬ、血気に逸ったでは固《もと》よりない、今申したようではずっともう悟ったようじゃが、いやなかなかの臆病者《おくびょうもの》、川の水を飲むのさえ気が怯《ひ》けたほど生命《いのち》が大事で、何故《なぜ》又と謂《い》わっしゃるか。

唯挨拶をしたばかりの男なら、私は実のところ、打棄《うっちゃ》って置いたに違いはないが、快からぬ人と思ったから、そのままで見棄てるのが、故《わざ》とするようで、気が責めてならなんだから」

と宗朝はやはり俯《うつむ》向けに床に入ったまま合掌していった。

「それでは口でいう念仏にも済まぬと思うてさ」

六

「さて、聞かっしゃい、私《わし》はそれから檜《ひのき》の裏を抜けた、岩の下から岩の上へ出た、樹の中を潜って、草深い径《こみち》を、何処までも。何処までも。

すると何時《いつ》の間にか今上った山は過ぎて又一ツ山が近《ちか》づいて来た、この辺暫《あたりしばら》くの間は野が広々として、先刻《さっき》通った本街道よりもっと幅の広い、なだらかな一筋道。

心持西と、東と、真中に山を一ツ置いて二条《ふたすじ》並んだ路のような、いかさまこれならば槍《やり》を立てても行列が通ったであろう。

この広ッ場《ぱ》でも目の及ぶ限り芥子粒《けしつぶ》ほどの大《おおき》さの売薬の姿も見ないで、時々焼けるような空を小さな虫が飛び歩行《ある》いた。

歩行くにはこの方が心細い、あたりがぱッとしていると便《たより》がないよ。勿論《もちろん》飛驒越と銘を打った日には、七里に一軒十里に五軒という相場、其処で粟《あわ》の飯にありつけば都合も上の方ということになっております。それを覚悟のことで、足は相応に達者、いや屈せずに進んだ進んだ。すると、段々又山が両方から逼《せま》って来て、肩に支《つか》えそうな狭いとこになった、直《すぐ》に上《のぼり》。

さあ、これからが名代の天生峠《あもう》と心得たから、此方《こっち》もその気になって、何しろ暑いので、喘《あえ》ぎながら先《ま》ず草鞋《わらじ》の紐《ひも》を緊直《しめなお》した。

丁度この上口《のぼりぐち》の辺《あたり》に美濃《みの》の蓮大寺《れんだいじ》の本堂の床下まで吹抜けの風穴があるということを年経《た》ってから聞きましたが、なかなか其処どころの沙汰《さた》ではない、一生懸命、景色も奇跡もあるものかい、お天気さえ晴れたか曇ったか訳が解らず、目《ま》じろぎもしないですたすたと捏《こ》ねて上る。

とお前様お聞かせ申す話は、これからじゃが、最初に申す通り路がいかにも悪い、宛然《まるで》人が通いそうでない上に、恐しいのは、蛇で。両方の叢《くさむら》に尾と頭とを突込んで、のたりと橋を渡しているではあるまいか。

私は真先に出会《でつくわ》した時は笠《かさ》を被《かぶ》って竹杖《たけづえ》を突いたまま、はッと息を引いて膝を折って坐《すわ》ったて。

いやもう生得大嫌《しようとくだいきらい》、嫌というより恐怖《こわ》いのでな。

その時は先ず人助けに、ずるずると尾を引いて、向うで鎌首《かまくび》を上げたと思うと草をさらさらと渡った。

漸《ようよ》う起上って道の五六町も行くと、又同一《おなじ》ように、胴中を乾かして尾も首も見えぬが、ぬたり！

あッというて飛退《とびの》いたが、それも隠れた。三度目に出会ったのが、いや急には動かず、然《しか》も胴体の太さ、譬《たと》い這出《はいだ》したところでぬらぬらと遣《や》られては凡そ五分間位尾を出すまでに間があろうと思う長虫と見えたので、已《や》むことを得ず私《わし》は跨《また》ぎ越した、途端に下腹《したつぱら》が突張ってぞッと身の毛、毛穴が不残鱗《のこらずうろこ》に変って、顔の色もその蛇のようになったろうと目を塞《ふさ》いだ位。

絞るような冷汗になる気味の悪さ、足が竦《すく》んだというて立っていられる数《すう》ではないからびくびくしながら路を急ぐと又しても居たよ。

然も今度のは半分に引切《ひつき》ってある胴から尾ばかりの虫じゃ、切口が蒼《あお》みを帯びてそ

れでこう黄色な汁が流れてぴくぴくと動いたわ。気が付けば例のが未《ま》だ居るであろう、譬《たと》えばこう、これこれこう、
我を忘れてばらばらとあとへ遁帰《にげかえ》ったが、気が付けば例のが未《ま》だ居るであろう、譬い殺されるまでも二度とはあれを跨ぐ気はせぬ。ああ先刻《さっき》のお百姓がものの間違でも故道《ふるみち》には蛇がこうといってくれたら、地獄へ落ちても来なかったにと、照りつけられて、涙が流れた、南無阿弥陀仏《なむあみだぶつ》、今でも悚然《ぞっ》とする」と額に手を。

七

「果《はて》しが無いから胆《きも》を据えた、固《もと》より引返す分ではない。旧《もと》の処《ところ》にはやっぱり丈足らずの骸《むくろ》がある。遠くへ避けて草の中へ駈《か》け抜けたが、今にもあとの半分が絡《まと》いつきそうで耐《たま》らぬから気臆《きおくれ》がして足が筋張ると石に躓《つまず》いて転んだ、その時膝節《ひざぶし》を痛めましたものとみえる。

それからがくがくして歩行《ある》くのが少し難渋になったけれども、此処で倒れては温気《うんき》で蒸殺《むしころ》されるばかりじゃと、我身で我身を激《はげ》まして首筋を取って引立てるようにして峠の方へ。

何しろ路傍《みちばた》の草いきれが可恐《おそろ》しい、大鳥の卵みたようなものなんぞ足許にごろごろしている茂り塩梅《あんばい》。

又二里ばかり大蛇《おろち》の蜿《うね》るような坂を、山懐《やまぶところ》に突当って岩角を曲って、木の根を繞《めぐ》って参ったが此処《ここ》のことで。余りの道じゃったから、参謀本部の絵図面を開いて見ました。

何やっぱり道は同一《おんなじ》で聞いたにも見たのにも変《かわり》はない、旧道は此方《こちら》に相違はないから心遣《や》りにも何にもならず、固より歴《れっき》とした図面というて、描いてある道は唯《ただ》栗の毬《いが》の上へ赤い筋が引張ってあるばかり。

難儀さも、蛇も、毛虫も、鳥の卵も、草いきれも、記してある筈《はず》はないのじゃから、さっぱりと畳んで懐に入れて、うむとこの乳の下へ念仏を唱え込んで立直ったは可《よ》いが、息も引かぬ内に情無い、長虫が路を切った。

其処《そこ》でもう所詮叶《しょせんかな》わぬと思ったなり、これはこの山の霊であろうと考えて、杖を棄てて膝を曲げ、じりじりとする地《つち》に両手をついて、

（誠に済みませぬがお通しなすって下さりまし、なるたけお午睡《ひるね》の邪魔になりませぬように密《そっ》と通行いたしまする。

御覧の通り杖も棄てました）と我《が》折れ染々《しみじみ》と頼んで額を上げるとざッという凄《すさま》じい音で。

心持《こころもち》余程の大蛇と思った、三尺、四尺、五尺四方、一丈余、段々と草の動くのが広

がって、傍《かたえ》の渓《たに》へ一文字に颯《さつ》と靡《なび》いた、果は峰も山も一斉に揺《ゆら》いだ、恐気《おぞけ》を震って立竦むと涼しさが身に染《し》みて、気が付くと山颪《やまおろし》よ。

この折から聞えはじめたのは哄《どっ》という山彦《こだま》に伝わる響、丁度山の奥に風が渦巻いて其処から吹起る穴があいたように感じられる。

何しろ山霊感応あったか、蛇は見えなくなり暑さも凌《しの》ぎよくなったので、気も勇み足も捗取《はかど》ったが、程なく急に風が冷たくなった理由を会得することが出来た。

というのは目の前に大森林があらわれたので。

世の譬《たとえ》にも天生峠は蒼空《あおぞら》に雨が降るという、人の話にも神代から杣《そま》が手を入れぬ森があると聞いたのに、今までは余り樹がなさ過ぎた。

今度は蛇のかわりに蟹《かに》が歩きそうで草鞋が冷えた。暫くすると暗くなった、杉、松、榎《えのき》と処々見分けが出来るばかりに遠い処から幽《かすか》に日の光の射《さ》すあたりでは、土の色が皆黒い。中には光線が森を射通す工合であろう、青だの、赤だの、ひだが入《い》って美しい処があった。

時々爪尖《つまさき》に絡《から》まるのは葉の雫《しずく》の落溜《おちたま》った糸のような流で、これは枝を打って高い処を走るので。ともすると又常磐木《ときわぎ》が落葉する、何の樹とも知れずばらばらと鳴り、かさかさと音がしてぱっと檜笠《ひのきがさ》にかかることもある、或は行過ぎた背後《うしろ》へこぼれるのもある、それ等は枝から枝に溜っていて何十年ぶりではじめて地の上まで落ちるのか分らぬ」

八

「心細さは申すまでもなかったが、卑怯《ひきよう》な様でも修行の積まぬ身には、こう云う暗い処の方が却《かえ》って観念に便《たより》が宜《よ》い。何しろ体が凌ぎよくなったために足の弱《よわり》も忘れたので、道も大きに捗取《はかど》って、先ずこれで七分は森の中を越したろうと思う処で五六尺天窓《あたま》の上らしかった樹の枝から、ぼたりと笠の上へ落ち留まったものがある。

鉛の錘《おもり》かとおもう心持、何か木の実ででもあるかしらんと、二三度振って見たが附着《くっつ》いていてそのままには取れないから、何心なく手をやって掴《つか》むと、滑《なめ》らかに冷りと来た。

見ると海鼠《なまこ》を裂いたような目も口もない者じゃが、動物には違いない。不気味で投出そうとするとずるずると辷《すべ》って指の尖《さき》へ吸ついてぶらりと下った、その放れた指の尖から真赤な美しい血が垂々《たらたら》と出たから、吃驚《びつくり》して目の下へ指をつけてじっと見ると、今折曲げた肱《ひじ》の処へつるりと垂懸《たれかか》っているのは同形《おなじかたち》をした、幅が五分、丈《たけ》が三寸ばかりの山海鼠《やまなまこ》。

呆気《あつけ》に取られて見る見る内に、下の方から縮みながら、ぶくぶくと太って行くのは生血《いきち》をしたたかに吸込む所為《せい》で、濁った黒い滑らかな肌に茶褐色の縞《しま》をもった、疣胡瓜《いぼきゆうり》のような血を取る動物、此奴《こいつ》は蛭《ひる》じゃよ。

誰《た》が目にも見違えるわけのものではないが、図抜けて余り大きいから一寸《ちよつと》は気がつかぬであった、何の畠でも、どんな履歴のある沼でも、この位な蛭はあろうとは思われぬ。

肱をばさりと振《ふる》ったけれども、よく喰込んだと見えてなかなか放れそうにしないから不気味ながら手で抓《つま》んで引切ると、ぷつりといってようよう取れる、暫時《しばらく》も耐《たま》ったものではない、突然《いきなり》取って大地へ叩《たた》きつけると、これほどの奴等が何万となく巣をくって我《わが》ものにしていようという処、予《かね》てその用意はしていると思われるばかり、日のあたらぬ森の中の土は柔《やわらか》い、潰《つぶ》れそうにもないのじゃ。

ともはや頸《えり》のあたりがむずむずして来た、平手で扱《こ》いてみると横撫《よこなで》に蛭の背《せな》をぬるぬるとすべるという、やあ、乳の下へ潜んで帯の間にも一疋《ぴき》、蒼《あお》くなってそッと見ると肩の上にも一筋。

思わず飛上って総身を震いながらこの大枝の下を一散にかけぬけて、走りながら先ず心覚えの奴だけは夢中でもぎ取った。

何にしても恐しい、今の枝には蛭が生《な》っているのであろうと余《あまり》の事に思って振返ると、見返った樹の何の枝か知らずやっぱり幾ツということもない蛭の皮じゃ。

これはと思う、右も、左も、前の枝も、何の事はないまるで充満《いっぱい》。

私は思わず恐怖の声を立てて叫んだ、すると何と？　この時は目に見えて、上からぼたりぼたりと真黒な痩《や》せた筋の入った雨が体へ降りかかって来たではないか。

草鞋を穿《は》いた足の甲へも落ちた上へ又累《かさな》り、並んだ傍《わき》へ又附着《くっつ》いて爪先も分らなくなった、そうして活きてると思うだけ脈を打って血を吸うような、思いなしか一ツ一ツ伸縮《のびちぢみ》をするようなのを見るから気が遠くなって、その時不思議な考えが起きた。

この恐しい山蛭《やまびる》は神代の古《いにしえ》から此処に屯《たむろ》をしていて、人の来るのを待ちつけて、永い久しい間にどの位何斛《なんごく》かの血を吸うと、其処でこの虫の望が叶《かの》う。その時はありったけの蛭が不残《のこらず》吸っただけの人間の血を吐出《はきだ》すと、それがために土がとけて山一ツ一面に血と泥との大沼にかわるであろう、それと同時に此処に日の光を遮《さえぎ》って昼もなお暗い大木が切々《きれぎれ》に一ツ一ツ蛭になって了《しま》うのに相違ないと、いや、全くの事で」

九

「凡《およ》そ人間が滅びるのは、地球の薄皮が破れて空から火が降るのでもなければ、大海が押被《おつかぶ》さるのでもない、飛騨国《ひだのくに》の樹林《きばやし》が蛭になるのが最初で、しまいには皆《みんな》血と泥の中に筋の黒い虫が泳ぐ、それが代《だい》がわりの世界であろうと、ぼんやり。

なるほどこの森も入口では何の事もなかったのに、中へ来るとこの通り、もっと奥深く進んだら早や不残立樹《のこらずたちき》の根の方から朽ちて山蛭になっていよう、助かるまい、此処で取殺される因縁らしい、取留めのない考えが浮んだのも人が知死期《ちしご》に近《ちかづ》いたからだとふと気が付いた。

どの道死ぬるものなら一足でも前へ進んで、世間の者が夢にも知らぬ血と泥の大沼の片端でも見て置こうと、そう覚悟が極っては気味の悪いも何もあったものじゃない、体中珠数生《じゅずなり》になったのを手当《てあたり》次第に掻《か》い除《の》け挘《むし》り棄て、抜き取りなどして、手を挙げ足を踏んで、まるで躍り狂う形で歩行《ある》き出した。

はじめの中《うち》は一廻《ひとまわり》も太ったように思われて痒《かゆ》さが耐らなかったが、しまいにはげっそり痩せたと感じられてずきずき痛んでならぬ、その上を容赦なく歩行く内にも入交《いりまじ》りに襲いおった。

既に目も眩《くら》んで倒れそうになると、禍《わざわい》はこの辺が絶頂であったとみえて、隧道《トンネル》を抜けたように、遥《はるか》に一輪のかすれた月を拝んだのは、蛭の林の出口なので。

いや蒼空の下へ出た時には、何のことも忘れて、砕けろ、微塵《みじん》になれと横なぐりに体を山路《やまじ》へ打倒《うちたお》した。それでからもう砂利でも針でもあれと地《つち》へこすりつけて、十余りも蛭の死骸《しがい》を引《ひっ》くりかえした上から、五六間向うへ飛んで身顫《みぶるい》をして突立った。

人を馬鹿にしているではありませんか。あたりの山では処々茅蜩殿《ひぐらしどの》、血と泥の大沼になろうという森を控えて鳴いている、日は斜、渓底《たにそこ》はもう暗い。

先《ま》ずこれならば狼の餌食《えじき》になってもそれは一思《ひとおもい》に死なれるからと、路は丁度だらだら下《おり》なり、小僧さん、調子はずれに竹の杖《つえ》を肩にかついで、すたこら遁《に》げたわ。

これで蛭に悩まされて痛いのか、痒いのか、それとも擽《くすぐ》ったいのか得もいわれぬ苦しみさえなかったら、嬉《うれ》しさに独り飛驒山越の間道で、御経に節をつけて外道踊《げどうおどり》をやったであろう、一寸清心丹《せいしんたん》でも噛砕《かみくだ》いて疵口《きずぐち》へつけたらどうだと、大分世の中の事に気がついて来たわ。抓《つね》っても確に活返《いきかえ》ったのじゃが、それにしても富山の薬売はどうしたろう、あの様子では疾《とう》に血になって泥沼に。皮ばかりの死骸は森の中の暗い処、おまけに意地の汚《きたな》い下司《げす》な動物が骨までしゃぶろうと何百という数でのしかかっていた日には、酢をぶちまけても分る気遣《きづかい》はあるまい。

こう思っている間、件《くだん》のだらだら坂は大分長かった。

それを下《お》り切ると流が聞えて、飛んだ処に長さ一間ばかりの土橋がかかっている。

はやその谷川の音を聞くと我身で持余《もてあま》す蛭の吸殻を真逆《まっさかさま》に投込んで、水に浸したらさぞ可《い》い心地であろうと思う位、何の渡りかけて壊れたらそれなりけり。危いとも思わずにずっと懸る、少しぐらぐらとしたが難なく越した。向うから又坂じゃ、今度は上りさ、御苦労千万」

十

「とてもこの疲れようでは、坂を上るわけには行くまいと思ったが、ふと前途《ゆくて》に、ヒイインと馬の嘶《いなな》くのが谺《こだま》して聞えた。

馬士《まご》が戻るのか小荷駄《こにだ》が通るのか、今朝一人の百姓に別れてから時の経《た》ったは僅《わず》かじゃが、三年も五年も同一《おんなじ》ものをいう人間とは中を隔てた。馬が居るようではともかくも人里に縁があると、これがために気が勇んで、ええやっと今一揉《ひともみ》。

一軒の山家《やまが》の前へ来たのには、さまで難儀は感じなかった。夏のことで戸障子のしまりもせず、殊《こと》に一軒家、あけ開いたなり門というてもない、突然破縁《いきなりやれえん》になって男が一人、私《わし》はもう何の見境もなく、

(頼みます、頼みます)というさえ助《たすけ》を呼ぶような調子で、取縋《とりすが》らぬばかりにした。

(御免なさいまし)といったがものもいわない、首筋をぐったりと、耳を肩で塞《ふさ》ぐほど顔を横にしたまま小児《こども》らしい、意味のない、然《しか》もぼっちりした目で、じろじろと門

に立ったものを瞻《みつ》める、その瞳《ひとみ》を動かすさえ、おっくうらしい、気の抜けた身の持方。裾短《すそみじか》で袖《そで》は肱より少い、糊気《のりけ》のある、ちゃんちゃんを着て、胸のあたりで紐で結えたが、一ツ身のものを着たように出ッ腹の太り肉、太鼓を張ったくらいに、すべすべとふくれて然も出臍《でべそ》という奴、南瓜《かぼちゃ》の蔕《へた》ほどな異形《いぎょう》な者を、片手でいじくりながら幽霊の手つきで、片手を宙にぶらり。

足は忘れたか投出した、腰がなくば暖簾《のれん》を立てたように畳まれそうな、年紀《とし》がそれでいて二十二三、口をあんぐりやった上唇《うわくちびる》で巻込めよう、鼻の低さ、出額《でびたい》、五分刈の伸びたのが前の鶏冠《とさか》の如《ごと》くになって、頸脚《えりあし》へ撥《は》ねて耳に被《かぶさ》った、唖《おし》か、白痴《ばか》か、これから蛙《かえる》になろうとするような少年。私《わし》は驚いた、此方《こっち》の生命《いのち》に別条はないが、先方《さき》様《さま》の形相《ぎょうそう》。いや、大別条《おおべつじょう》。

（一寸《ちょいと》お願い申します）

それでも為方《しかた》がないから又言葉をかけたが少しも通ぜず、ばたりというと僅《わずか》に首の位置をかえて今度は左の肩を枕《まくら》にした、口の開いてること旧《もと》の如し。

こう云うのは、悪くすると突然《いきなり》ふんづかまえて臍を捻《ひね》りながら返事のかわりに嘗《な》めようも知れぬ。

私《わし》は一足退《すさ》ったが、いかに深山だといってもこれを一人で置くという法はあるまい、

と足を爪立《つまだ》てて少し声高《こわだか》に、

(何方《どなた》ぞ、御免なさい)といった。

背戸と思うあたりで再び馬の嘶く声。

(何方)と納戸《なんど》の方でいったのは女じゃから、南無三宝《なむさんぼう》、この白い首には鱗《うろこ》が生えて、体は床を這《は》って尾をずるずる引いて出ようと、又退った。

(おお、御坊様)と立顕《たちあらわ》れたのは小造《こづくり》の美しい、声も清《すず》しい、ものやさしい。

私《わし》は大息を吐《つ》いて、何にもいわず、

(はい)と頭《つむり》を下げましたよ。

婦人《おんな》は膝《ひざ》をついて坐ったが、前へ伸上るようにして黄昏《たそがれ》にしょんぼり立った私が姿を透かして見て、

(何か用でござんすかい)

休めともいわずはじめから宿の常世《つねよ》は留守らしい、人を泊めないと極《き》めたもののように見える。

いい後《おく》れては却《かえ》って出そびれて頼むにも頼まれぬ仕誼《しぎ》にもなることと、つかつかと前へ出た。

丁寧に腰を屈《かが》めて、

（私は、山越で信州へ参ります者ですが旅籠《はたご》のございます処までは未だどの位でございましょう）

十一

（貴方《あなた》まだ八里余《あまり》でございますよ）

（その他《ほか》に別に泊めてくれる家《うち》もないのでしょうか）

（それはございません）といいながら目《ま》たたきもしないで清しい目で私の顔をつくづく見ていた。

（いえもう何でございます、実はこの先一町行け、そうすれば上段の室に寐《ね》かして一晩扇《あお》いでいてそれで功徳《くどく》のためにする家があると承りましても、全くのところ一足も歩行《ある》けますのではございません、何処《どこ》の物置でも馬小屋の隅でも宜《よ》いのでございますから後生でございます）と先刻《さっき》馬の嘶いたのは此家《ここ》より外にはないと思ったから言った。

婦人《おんな》は暫《しばら》く考えていたが、ふと傍《わき》を向いて布の袋を取って、膝のあたりに置いた桶《おけ》の中へざらざらと一幅《ひとはば》、水を溢《こぼ》すようにあけて縁をおさえて、手で掬《すく》って俯向《うつむ》いて見たが、

（ああ、お泊め申しましょう、丁度炊いてあげますほどお米もございますから、それに夏のことで、山家は冷えましても夜のものに御不自由もござんすまい。さあ、ともかくも、あなた、お上り遊ばして）

というと言葉の切れぬ先にどっかり腰を落した。婦人《おんな》は衝《つ》と身を起して立って来て、

（御坊様、それでござんすが一寸《ちよつと》御断り申して置かねばなりません）

判然《はつきり》いわれたので私《わし》はびくびくもので、

（唯《はい》、はい）

（否《いいえ》、別のことじゃござんせぬが、私《わたし》は癖として都の話を聞くのが病でございます、口に蓋《ふた》をしておいでなさいましても無理やりに聞こうといたしますが、あなた忘れてもその時聞かして下さいますな、可《よ》うござんすかい、私は無理にお尋《た》ね申します、あなたはどうしてもお話しなさいませぬ、それを是非にと申しましても断って仰有《おつしや》らないようにきっと念を入れて置きますよ）

と仔細《しさい》ありげなことをいった。

山の高さも谷の深さも底の知れない一軒家の婦人《おんな》の言葉とは思うたが、保つにむずかしい戒《かい》でもなし、私《わし》は唯頷《ただうなず》くばかり。

（唯《はい》、宜《よろ》しゅうございます、何事も仰有りつけは背《そむ》きますまい）

婦人は言下《ごんか》に打解けて、

（さあさあ汚《きたの》うございますが早く此方《こちら》へ、お寛《くつろ》ぎなさいまし、そうしてお洗足《せんそく》を上げましょうかえ）

（いえ、それには及びませぬ、雑巾《ぞうきん》をお貸し下さいまし。ああ、それからもしそのお雑巾次手《ついで》にずッぷりお絞んなすって下さると助《たすか》ります、途中で大変な目に逢《あ》いましたので体を打棄《うっちゃ》りたいほど気味が悪うございますので、一ツ背中を拭《ふ》こうと存じますが、恐入りますな）

（そう、汗におなりなさいました、さぞまあ、お暑うござんしたでしょう、お待ちなさいまし、旅籠《はたご》へお着き遊ばして湯にお入りなさいますのが、旅するお方には何より御馳走だと申しますね、湯どころか、お茶さえ碌《ろく》におもてなしもいたされませんが、あの、この裏の崕《がけ》を下りますと、綺《き》麗《れい》な流がございますから一層《いっそ》それへいらっしゃってお流しが宜しゅうございましょう）

聞いただけでも飛んでも行きたい。

（ええ、それは何より結構でございますな）

（さあ、それでは御案内申しましょう、どれ、丁度私も米を磨《と》ぎに参ります）と件《くだん》の桶を小《こ》脇《わき》に抱えて、縁側から、藁草履《わらぞうり》を穿《は》いて出たが、屈んで板縁の下を覗《のぞ》いて、引出したのは一足の古下駄で、かちりと合して埃《ほこり》を払《はた》いて揃《そろ》えてくれた。

(お穿きなさいまし、草鞋《わらじ》は此処《ここ》にお置きなすって)

私《わし》は手をあげて、一礼して、

(恐入ります、これはどうも)

(お泊め申すとなりましたら、あの、他生《たしょう》の縁《えん》*とやらでござんす、あなた御遠慮を遊ばしますなよ)先ず恐しく調子が可《い》いじゃて」

十二

「(さあ、私《わたし》に跟《つ》いて此方《こちら》へ)と件の米磨桶《こめとぎおけ》を引抱《ひっか》かえて手拭《てぬぐい》を細い帯に挟《はさ》んで立った。

髪は房《ふっさ》りとするのを束ねてな、櫛《くし》をはさんで簪《かんざし》で留めている、その姿の佳《よ》さというてはなかった。

私《わし》も手早く草鞋を解いたから、早速古下駄を頂戴して、縁から立つ時一寸《ちょいと》見ると、それ例の白痴殿《ばかどの》じゃ。

同じく私《わし》が方《かた》をじろりと見たっけよ、舌不足《したたらず》が饒舌《しゃべ》るような、愚にもつかぬ声を出して、

(姉《ねえ》や、こえ、こえ)といいながら気《け》だるそうに手を持上げてその蓬々《ぼうぼう》と生えた天窓《あたま》

を撫《な》でた。

（坊さま、坊さま？）

するとと婦人《おんな》が、下《しも》ぶくれな顔にえくぼを刻んで、三つばかりはきはきと続けて頷《うなず》いた。

少年はうむといったが、ぐたりとして又臍《へそ》をくりくりくり。

私は余り気の毒さに顔も上げられないで密《そ》っと盗むようにして見ると、婦人《おんな》は何事も別に気に懸けてはおらぬ様子、そのまま後《あと》へ跟いて出ようとする時、紫陽花《あじさい》の花の蔭からぬいと出た一名の親仁《おやじ》がある。

背戸から廻って来たらしい、草鞋を穿いたなりで、胴乱の根付《ねづけ》を紐長《ひもなが》にぶらりと提げ、銜煙管《くわえぎせる》をしながら並んで立停まった。

（和尚《おしょう》様おいでなさい）

婦人《おんな》は其方《そなた》を振向いて、

（おじ様《さん》どうでござんした）

（さればさの、頓馬《とんま》で間の抜けたというのはあのことかい。根ッから早や狐でなければ乗せ得そうにもない奴じゃが、其処《そこ》はおらが口じゃ、うまく仲人《なこうど》して、二月《ふたつき》や三月《みつき》はお嬢様が御不自由のねえように、翌日《あす》はものにして沢山《うん》と此処《ここ》へ担《かつ》ぎ込みます）

(お頼み申しますよ)

(承知、承知、おお、嬢様何処《どこ》さ行かっしゃる)

(岨《がけ》の水まで一寸《ちょいと》)

(若い坊様連れて川へ落っこちさっしゃるな。おら此処に眼張《がんば》って待っとるに)と横《よこ》様《ざま》に縁にのさり。

(貴僧《あなた》、あんなことを申しますよ)と顔を見て微笑《ほほえ》んだ。

(一人で参りましょう)と傍《わき》へ退《の》くと、親仁《おやじ》は吃々《くっくっ》と笑って、

(ははは、さあ、早くいってござらっせえ)

(おじ様、今日はお前、珍らしいお客がお二方ござんした、こう云う時はあとから又見えようも知れません、次郎さんばかりでは来た者が弱んなさろう、私が帰るまで其処に休んでいておくれでないか)

(可《い》いとものとの)といいかけて、親仁は少年の傍《そば》へにじり寄って、鉄梃《かなてこ》をみたような拳《こぶし》で、背中をどんとくらわした、白痴の腹はだぶりとして、べそをかくような口つきで、にやりと笑う。

私《わし》は悚然《ぞっ》として面《おもて》を背《そむ》けたが、婦人《おんな》は何気ない体《てい》であった。

親仁は大口を開いて、

(留守におらがこの亭主を盗むぞよ)

(はい、ならば手柄でござんす、さあ、貴僧《あなた》参りましょうか)

背後《うしろ》から親仁が見るように思ったが、導かるるままに壁について、かの紫陽花のある方ではない。

やがて背戸と思う処《ところ》で左に馬小屋を見た、ことことという音は羽目を蹴《け》るのであろう、もうその辺から薄暗くなって来る。

(貴僧《あなた》、ここから下りるのでございます、辷《すべ》りはいたしませぬが、道が酷《ひど》うございますからお静《しずか》に)という」

十三

「其処から下りるのだと思われる、松の木の細くッて度外れに脊《せ》の高い、ひょろひょろした凡《およ》そ五六間上までは小枝一ツもないのがある。その中を潜《くぐ》ったが、仰ぐと梢《こずえ》に出て白い、月の形は此処でも別にかわりは無かった、浮世は何処にあるか十三夜で。

先へ立った婦人《おんな》の姿が目さきを放れたから、松の幹に掴《つか》まって覗《のぞ》くと、つい下に居た。

仰向いて、

(急に低くなりますから気をつけて。こりゃ貴僧《あなた》には足駄《あしだ》では無理でございましたかしら、宜しくば草履とお取交え申しましょう)

立後《たちおく》れたのを歩行《ある》き悩んだと察した様子、何がさて転げ落ちても早く行って蛭《ひる》の垢《あか》を落したさ。

(何、いけませんければ跣足《はだし》になります分のこと、何卒《どうぞ》お構いなく、嬢様に御心配をかけては済みません)

(あれ、嬢様ですって)と稍《やや》調子を高めて、艶麗《あでやか》に笑った。

(唯《はい》、唯今あの爺様《じいさま》が、さよう申しましたように存じますが、夫人《おくさま》でございますか)

(何にしても貴僧《あなた》には叔母さん位な年紀《とし》ですよ。まあ、お早くいらっしゃい、草履も可《よ》うござんすけれど、刺《とげ》がささりますと不可《いけ》ません、それにじくじく湿《ぬ》れていてお気味が悪うございましょうから)と向う向《むき》でいいながら衣服《きもの》の片褄《かたづま》をぐいとあげた。真白なのが暗《やみ》まぎれ、歩行《ある》くと霜が消えて行くような。

ずんずんずんと道を下りる、傍《かたわ》らの叢《くさむら》から、のさのさと出たのは蟇《ひき》で。

(あれ、気味が悪いよ)というと婦人《おんな》は背後《うしろ》へ高々と踵《かかと》を上げて向うへ飛んだ。

(お客様がいらっしゃるではないかね、人の足になんか搦《から》まって、贅沢《ぜいたく》じゃあないか、お前達は虫を吸っていれば沢山だよ。

貴僧《あなた》ずんずんいらっしゃいましな、どうもしはしません。こう云う処ですからあんなものまで人懐《なつか》しゅうございます、厭《いや》じゃないかね、お前達と友達をみたようで可愧《はずか》しい、あれ可《い》けませんよ）

蓑はのさのさと又草を分けて入った、婦人《おんな》はむこうへずいと。

（さあこの上へ乗るんです、土が柔かで壊《く》えますから地面は歩行《ある》かれません）

いかにも大木の僵《たお》れたのが草がくれにその幹をあらわしている、乗ると足駄穿《ばき》で差支《つかえ》がない、丸木だけれども可恐《おそろ》しく太いので、尤《もっと》もこれを渡り果てると忽《たちま》ち流の音が耳に激した、それまでには余程の間《あいだ》。

仰いで見ると松の樹はもう影も見えない、十三夜の月はずっと低うなったが、今下りた山の頂に半ばかかって、手が届きそうにあざやかだけれども、高さは凡そ計り知られぬ。

（貴僧《あなた》、此方《こちら》へ）

といった婦人《おんな》はもう一息、目の下に立って待っていた。

其処は早や一面の岩で、岩の上へ谷川の水がかかって此処によどみを作っている、川幅は一間ばかり、水に臨めば音はさまでにもないが、美しさは玉を解いて流したよう、却《かえ》って遠くの方で凄《すさま》じく岩に砕ける響がする。

向う岸は又一座の山の裾《すそ》で、頂の方は真暗だが、山の端《は》からその山腹を射る月の光に照し出された辺《あたり》からは大石小石、栄螺《さざえ》のようなの、六尺角に切出したの、剣《つるぎ》のようなのやら、鞠《まり》の形をしたのやら、目の届く限り不残《のこらず》岩で、次第に大きく水に蘸《ひた》ったのは唯小山のよう」

十四

「(可《い》い塩梅《あんばい》に今日は水がふえておりますから、中へ入りませんでもこの上で可《よ》うございます)と甲を浸して爪先《つまさき》を屈《かが》めながら、雪のような素足で石の盤の上に立っていた。

自分達が立った側《かわ》は、却って此方《こっち》の山の裾が水に迫って、丁度切穴の形になって、其処へこの石を嵌《は》めたような誂《あつらえ》。川上も下流も見えぬが、向うのあの岩山、九十九折《つづらおり》のような形、流は五尺、三尺、一間ばかりずつ上流の方が段々遠く、飛々《とびとび》に岩をかがったように隠見して、いずれも月光を浴びた、銀の鎧《よろい》の姿、目《ま》のあたり近いのはゆるぎ糸を捌《さば》くが如《ごと》く真白に飜《ひるがえ》って。

(結構な流でございますな)

(はい、この水は源が滝でございます、この山を旅するお方は皆《み》な大風のような音を

何処かで聞きます。貴僧《あなた》は此方《こちら》へいらっしゃる道でお心着きはなさいませんかい）

さればこそ山蛭《やまびる》の大藪《おおやぶ》へ入ろうという少し前からその音を。

（あれは林へ風の当るのではございませんので？）

（否《いえ》、誰でもそう申します、あの森から三里ばかり傍道《わきみち》へ入りました処に大滝があるのでございます、それはそれは日本一だそうですが、路が嶮《けわ》しゅうござんすので、十人に一人参ったものはございません。その滝が荒れましたと申しまして、丁度今から十三年前、可恐《おそろ》しい洪水《おおみず》がございました、こんな高い処まで川の底になりましてね、麓《ふもと》の村も山の家も不残《のこらず》流れて了《しま》いました。この上《かみ》の洞《ほら》も、はじめは二十軒ばかりあったのでござんす、この流もその時から出来ました、御覧なさいましな、この通り皆石が流れたのでございますよ）

婦人《おんな》は何時《いつ》かもう米を精《しら》げ果てて、衣紋《えもん》の乱れた、乳の端もほの見ゆる、膨《ふく》らかな胸を反して立った、鼻高く口を結んで目を恍惚《うっとり》と上を向いて頂を仰いだが、月はなお半腹《そら》のその累々《るいるい》たる巌《いわお》を照すばかり。

（今でもこうやって見ますと恐《こわ》いようでございます）と屈んで二の腕の処を洗っていると。

（あれ、貴僧《あなた》、そんな行儀の可《い》いことをしていらしってはお召が濡《ぬ》れます、気味が悪

うございますよ、すっぱり裸体《はだか》になってお洗いなさいまし、私が流して上げましょう）

（否《いえ》）

（否じゃあござんせぬ、それ、それ、お法衣《ころも》の袖《そで》が浸るではありませんか）というと突然背後《いきなりうしろ》から帯に手をかけて、身悶《みもだえ》をして縮むのを、邪慳《じやけん》らしくすっぱり脱いで取った。

私《わし》は師匠が厳しかったたし、経を読む身体《からだ》じゃ、肌さえ脱いだことはついぞ覚えぬ。然《しか》も婦人《おんな》の前、蝸牛《まいまいつぶろ》が城を明け渡したようで、口を利《き》くさえ、況《ま》して手足のあがきも出来ず、背中を円くして、膝《ひざ》を合せて、縮かまると、婦人《おんな》は脱がした法衣《ころも》を傍らの枝へふわりとかけた。

（お召はこうやって置きましょう、さあお背《せな》を、あれさ、じっとして。お嬢様と仰有《おつしや》って下さいましたお礼に、叔母さんが世話を焼くのでござんす、お人の悪い）といって片袖を前歯で引上げ、玉のような二の腕をあからさまに背中に乗せたが、熟《じつ》と見て、

（まあ）

（どうかいたしておりますか）

（痣《あざ》のようになって、一面に）

（ええ、それでございます、酷《ひど》い目に逢いました）

思い出しても悚然《ぞっ》とするて」

十五

「婦人《おんな》は驚いた顔をして、

（それでは森の中で、大変でございますこと。旅をする人が、飛騨《ひだ》の山では蛭が降るというのは彼処《あすこ》でござんす。貴僧《あなた》は抜道を御存じないから正面《まとも》に蛭の巣をお通りなさいましたのでございますよ。お生命《いのち》も冥加《みょうが》な位、馬でも牛でも吸い殺すのでございますもの。然し疼《うず》くようにお痒《かゆ》いのでござんしょうね）

（唯今ではもう痛みますばかりになりました）

（それではこんなものでこすりましては柔かいお肌が擦剝《すりむ》けましょう）というと手が綿のように障《さわ》った。

それから両方の肩から、背、横腹、臀《いしき》、さらさら水をかけてはさすってくれる。

それがさ、骨に透《とお》って冷たいかというとそうではなかった。暑い時分じゃが、理窟《りくつ》をいうとこうではあるまい、私《わし》の血が沸いたせいか、婦人《おんな》の温気《ぬくみ》か、手で洗ってくれる水が可《い》い工合に身に染《し》みる、尤《もっと》も質《たち》の佳《い》い水は柔かじゃそうな。

その心地の得《え》もいわれなさで、眠気がさしたでもあるまいが、うとうとする様子で、疵《きず》の痛みがなくなって気が遠くなって、ひたと附《くっ》ついている婦人《おんな》の身体で、私《わし》は花びらの中へ包まれたような工合。

山家の者には肖合《にあ》わぬ、都にも希《まれ》な器量はいうに及ばぬが弱々しそうな風采《ふう》じゃ、背中を流す中《うち》にもはッはッと内証《ないしょ》で呼吸《いき》がはずむから、もう断ろう断ろうと思いながら、例の恍惚《うっとり》で、気はつきながら洗わした。

その上、山の気か、女の香《におい》か、ほんのりと佳《い》い薫《かおり》がする、私《わし》は背後《うしろ》でつく息じゃろうと思った」

上人《しょうにん》は一寸《ちょっと》句切って、

「いや、お前様お手近じゃ、その明《あかり》を掻《か》き立って貰《もら》いたい、暗いと怪《け》しからぬ話じゃ、此処《ここ》等から一番野面《のづら》*で遣《やっ》つけよう」

枕《まくら》を並べた上人の姿も朧《おぼろ》げに明《あかり》は暗くなっていた、早速燈心を明くすると、上人は微笑《ほほえ》みながら続けたのである。

「さあ、そうやって何時《いつ》の間にやら現《うつつ》とも無しに、こう、その不思議な、結構な薫のする暖《あったか》い花の中へ柔かに包まれて、足、腰、手、肩、頸《くび》から次第に天窓《あたま》まで一面に被《おお》ったから吃驚《びっくり》、石に尻餅《しりもち》を搗《つ》いて、足を水の中に投げ出したから落ちたと思う途端に、女の手が背後《うしろ》から肩越しに胸をおさえたので確《しっか》りつかまった。

(貴僧、お傍《そば》に居て汗臭うはござんせぬかい、飛んだ暑がりなんでございますから、こうやっておりましてもこんなでございますよ)という胸にある手を取ったのを、慌《あわ》てて放して棒のように立った。

(失礼)

(いいえ誰も見ておりはしませんよ)と澄して言う、婦人《おんな》も何時《いつ》の間にか衣服《きもの》を脱いで全身を練絹《ねりぎぬ》のように露《あらわ》していたのじゃ。

何と驚くまいことか。

(こんなに太っておりますから、もうお可愧《はずか》しいほど暑いのでございます、今時は毎日二度も三度も来てはこうやって汗を流します、この水がございませんかったらどういたしましょう、貴僧、お手拭《てぬぐい》)といって絞ったのを寄越した。

(それでおみ足をお拭《ふ》きなさいまし)

何時の間にか、体はちゃんと拭いてあった、お話し申すも恐多いが、ははははは」

十六

「なるほど見たところ、衣服《きもの》を着た時の姿とは違うて肉《しし》つきの豊な、ふっくりとした膚《はだえ》。

(先刻《さっき》小屋へ入って世話をしましたので、ぬらぬらした馬の鼻息が体中へかかって気味が悪うござんす。丁度可《よ》うございますから私も体を拭きましょう)

と姉弟《きようだい》が内端話《うちわばなし》をするような調子。手をあげて黒髪をおさえながら腋《わき》の下を手拭でぐいと拭き、あとを両手で絞りながら立った姿、唯これ雪のようなのをかかる霊水で清めた、こう云う女の汗は薄紅《うすくれない》になって流れよう。

一寸々々《ちょいちょい》と櫛《くし》を入れて、

(まあ、女がこんなお転婆をいたしまして、川へ落《おっ》こちたらどうしましょう、川下《かわしも》へ流れて出ましたら、村里の者が何といって見ましょうね)

(白桃の花だと思います)とふと心付いて何の気もなしにいうと、顔が合うた。

すると、さも嬉《うれ》しそうに莞爾《にっこり》してその時だけは初々《ういうい》しゅう年紀《とし》も七ツ八ツ若やぐばかり、処女《きむすめ》の羞《はじ》を含んで下を向いた。

私《わし》はそのまま目を外《そ》らしたが、その一段の婦人《おんな》の姿が月を浴びて、薄い煙に包まれながら向う岸の瀲《しぶき》に濡れて黒い、滑《なめら》かな大きな石へ蒼味《あおみ》を帯びて透通って映るように見えた。

するとね、夜目で判然《はっきり》とは目に入《い》らなんだが地体《じたい》何でも洞穴《ほらあな》があるとみえる。ひらひらと、此方《こちら》からもひらひらと、ものの鳥ほどはあろうという大蝙蝠《おおこうもり》が目を遮《さえぎ》った。

（あれ、不可《いけな》いよ、お客様があるじゃないかね）

不意を打たれたように叫んで身悶《みもだ》えをしたのは婦人《おんな》。

（どうかなさいましたか）もうちゃんと法衣《ころも》を着たから気丈夫に尋ねる。

（否《いいえ》）

といったばかりで極《きまり》が悪そうに、くるりと後向《うしろむき》になった。

その時小犬ほどな鼠色の小坊主が、ちょこちょことやって来て、あなやと思うと、崕《がけ》から横に宙をひょいと、背後《うしろ》から婦人《おんな》の背中へぴったり。

裸体《はだか》の立姿は腰から消えたようになって、抱《だき》ついたものがある。

（畜生、お客様が見えないかい）

と声に怒を帯びたが、

（お前達は生意気だよ）と激しくいいさま、腋の下から覗《のぞ》こうとした件《くだん》の動物の天窓《あたま》を振返りさまにくらわしたで。

キキッという奇声を放った、件の小坊主はそのまま後飛《うしろ》びに又宙を飛んで、今まで法衣《ころも》をかけて置いた、枝の尖《さき》へ長い手で釣《つる》し下ったと思うと、くるりと釣瓶覆《つるべがえし》に上へ乗って、それなりさらさらと木登をしたのは、何と猿じゃあるまいか。

枝から枝を伝うとみえて、見上げるように高い木の、やがて梢《こずえ》まで、かさかさがさり。

まばらに葉の中を透かして月は山の端《は》を放れた、その梢のあたり。

婦人《おんな》はものに拗《す》ねたよう、今の悪戯《いたずら》、いや、毎々、蟇《ひき》と、蝙蝠と、お猿で三度じゃ。その悪戯《いた》に、多く機嫌《きげん》を損《そこ》ねた形、あまり子供がはしゃぎ過ぎると、若い母様《おふくろ》には得てある図じゃ。

本当に怒り出す。

といった風情《ふぜい》で面倒臭そうに衣服《きもの》を着ていたから、私《わし》は何にも問わずに小さくなって黙って控えた」

十七

「優しいなかに強みのある、気軽に見えても何処《どこ》にか落着のある、馴々《なれなれ》しくて犯し易《やす》からぬ品の可《い》い、如何《いか》なることにもいざとなれば驚くに足らぬという身に応《こたえ》のあるといったような風の婦人《おんな》、かく嬌瞋《きょうしん》*を発してはきっと可《い》いことはあるまい、今この婦人に邪慳《じゃけん》にされては木から落ちた猿同然じゃと、おっかなびっくりで、おずおず控えていたが、いや案ずるより産《うむ》が安い。

(貴僧《あなた》、さぞおかしかったでござんしょうね)と自分でも思い出したように快く微笑《ほほえ》みながら、

(為《し》ようがないのでございますよ)

以前と変らず心安くなった、帯を早やしめたので、

(それでは家《うち》へ帰りましょう)と米磨桶《こめとぎおけ》を小脇《こわき》にして、草履を引《ひっ》かけて衝《つ》と崖《がけ》へ上った。

(お危うございますから)

(否《いえ》、もう大分勝手が分っております)

ずッと心得た意《つもり》じゃったが、さて上る時見ると思いの外《ほか》上までは大層高い。

やがて又例の木の丸太を渡るのじゃが、先刻《さっき》もいった通り草のなかに横倒れになっている木地がこう丁度鱗《うろこ》のようで、譬《たとえ》にも能《よ》くいうが松の木は蝮《うわばみ》に似ているで。

殊《こと》に崖を、上の方へ、可《い》い塩梅《あんばい》に蜿《うね》った様子が、飛んだものに持って来いなり、凡そこの位な胴中の長虫がと思うと、頭と尾を草に隠して、月あかりに歴然《ありあり》とそれ。

山路の時を思い出すと我ながら足が竦《すく》む。

婦人《おんな》は深切に後《うしろ》を気遣《きづこ》うては気を付けてくれる。

(それをお渡りなさいます時、下を見てはなりません、丁度ちゅうとで余程《よっぽど》谷が深いのでございますから、目が廻《ま》うと悪うござんす)

(はい)

愚図々々してはいられぬから、我身を笑いつけて、先《ま》ず乗った。引《ひっ》かかるよう、刻《きざ》が入れてあるのじゃから、気さえ確なら足駄でも歩行《ある》かれる。

それがさ、一件じゃから耐《たま》らぬて、乗るとこうぐらぐらして柔かにずるずると這《は》いそうじゃから、わッというと引跨《ひんまた》いで腰をどさり。

(ああ、意気地はございませんねえ。足駄では無理でございましょう、これとお穿《は》き換えなさいまし、あれさ、ちゃんということを肯《き》くんですよ)

私《わし》はその先刻《さっき》から何んとなくこの婦人《おんな》に畏敬《いけい》の念が生じて善か悪か、どの道命令されるように心得たから、いわるるままに草履を穿いた。

するとお聞きなさい、婦人《おんな》は足駄を穿きながら手を取ってくれます。

忽《たちま》ち身が軽くなったように覚えて、訳なく後《うしろ》に従って、ひょいとあの孤家《ひとつや》の背戸の端《はた》へ出た。

出会頭《であいがしら》に声を懸けたものがある。

（やあ、大分手間が取れると思ったに、御坊様旧《もと》の体で帰らっしゃったの）

（何をいうんだね、小父様家《おじさんうち》の番はどうおしだ）

（もう可《い》い時分じゃ、又私《わし》も余《あん》り遅《ま》うなっては道が困るで、そろそろ青を引出して支度して置こうと思うてよ）

（それはお待遠でござんした）

（何さ、行ってみさっしゃい御亭主は無事じゃ、いやなかなか私《わし》が手には口説き落されなんだ、ははははは）と意味もないことを大笑《おおわらい》して、親仁《おやじ》は厩《うまや》の方へてくてくと行った。

白痴《ばか》はおなじ処《ところ》に猶《なお》形を存している、海月《くらげ》も日にあたらねば解けぬとみえる」

十八

「ヒイイン！　叱《しっ》、どうどうどうと背戸を廻る鰭爪《ひづめ》の音が縁へ響いて親仁《おやじ》は一頭の馬を門前へ引き出した。

轡頭《くつわづら》を取って立ちはだかり、

（嬢様そんならこのままで私《わし》参りやする、はい、御坊様に沢山御馳走して上げなさ

れ）

婦人《おんな》は炉縁《ろぶち》に行燈《あんどん》を引附け、俯向《うつむ》いて鍋《なべ》の下を燻《いぶ》していたが、振仰ぎ、鉄の火箸《ひばし》を持った手を膝《ひざ》に置いて、

（御苦労でござんす）

（いんえ御懇《ごねんごろ》には及びましねえ。叱！）と荒縄の綱を引く。青で蘆毛《あしげ》、裸馬で逞《たくま》しいが、鬣《たてがみ》の薄い牡《おす》じゃわい。

その馬がさ、私《わし》も別に馬は珍らしゅうもないが、白痴殿の背後《うしろ》に畏《かしこま》って手持不沙汰《ぶさた》じゃから今引いて行こうとする時縁側へひらりと出て、

（その馬は何処へ）

（おお、諏訪《すわ》の湖の辺《あたり》まで馬市へ出しやすのじゃ、これから明朝《あした》御坊様が歩行《ある》かっしゃる山路を越えて行きやす）

（もし、それへ乗って今からお遁《に》げ遊ばすお意《つもり》ではないかい）

婦人《おんな》は慌《あわただ》しく遮って声を懸けた。

（いえ、勿体《もったい》ない、修行の身が馬で足休めをしましょうなぞとは存じませぬ）

（何でも人間を乗っけられそうな馬じゃあござらぬ。御坊様は命拾いをなされたのじゃで、大人《おとな》しゅうして嬢様の袖《そで》の中で、今夜は助けて貰《もら》わっしゃい。さようならちょ

つくら行って参りますよ）

（あい）

（畜生）といったが馬は出ないわ。びくびくと蠢《うごめ》いて見える大な鼻面《はなつら》を此方《こちら》へ捻《ね》じ向けて頻《しきり》に私等《わし》が居る方を見る様子。

（どうどう、畜生これあだけた獣じゃ、やい！）

右左にして綱を引張ったが、脚から根をつけた如《ごと》くにぬッくと立っていてびくともせぬ。

親仁《おやじ》大いに苛立《いらだ》って、叩《たた》いたり、打《ぶ》ったり、馬の胴体について二三度ぐるぐると廻ったが少しも歩かぬ。肩でぶッつかるようにして横腹《よこっぱら》へ体《たい》をあてた時、漸《ようよ》う前足を上げたばかり又四脚《よつあし》を突張り抜く。

（嬢様々々）

と親仁が喚《わめ》くと、婦人《おんな》は一寸《ちょっと》立って白い爪《つま》さきをちょろちょろと真黒に煤《すす》けた太い柱を楯《たて》に取って、馬の目の届かぬほどに小隠れた。

その内腰に挟《はさ》んだ、煮染《にし》めたような、なえなえの手拭《てぬぐい》を抜いて克明に刻んだ額の皺《しわ》の汗を拭いて、親仁はこれで可《よ》しという気組、再び前へ廻ったが、旧《もと》に依って貧乏動《ゆるぎ》もしないので、綱に両手をかけ足を揃《そろ》えて反返《そりかえ》るようにして、うむと総身《そうみ》に力を入れた。途端にどうじゃい。

凄《すさま》じく嘶《いなな》いて前足を両方中空《なかぞら》へ飜《ひるがえ》したから、小さな親仁は仰向けに引《ひっ》くりかえった、ずどんどう、月夜に砂煙が燄《ぱっ》と立つ。

白痴《ばか》にもこれは可笑《おか》しかったろう、この時ばかりじゃ、真直に首を据えて厚い唇をぱくりと開けた、大粒な歯を露出《むきだ》して、あの宙へ下げている手を風で煽《あお》るように、はらりはらり。

（世話が焼けることねえ）

婦人《おんな》は投げるようにいって草履を突かけて土間へつぃと出る。

（嬢様勘違いさっしゃるな、これはお前様ではないぞ、何でもはじめから其処《そこ》な御坊様に目をつけたっけよ、畜生俗縁があるだッぺいわさ）

俗縁は驚いたい。

すると婦人が、

（貴僧《あなた》ここへいらっしゃる路で誰にかお逢《あ》いなさりはしませんか）」

十九

「（はい、辻《つじ》の手前で富山の反魂丹売《はんごんたんうり》*に逢いましたが、一足前《さき》にやっぱりこの路へ入

りました）

（ああ、そう）と会心の笑《えみ》を洩《もら》して婦人《おんな》は蘆毛《あしげ》の方を見た、凡《およ》そ耐《たま》らなく可笑しいといったはしたない風采《とりなり》で。

極めて与《くみ》し易う見えたので、

（もしや此家《こちら》へ参りませなんだでございましょうか）

（否《いいえ》、存じません）という時忽ち犯すべからざる者になったから、私《わし》は口をつぐむと、婦人《おんな》は、匙《さじ》を投げて衣服《きもの》の塵《ちり》を払うている馬の前足の下に小さな親仁《おやじ》を見向いて、

（為様《しよう》がないねえ）といいながら、かなぐるようにして、その細帯を解きかけた、片端が土へ引こうとするのを、掻取《かいと》って一寸猶予《ちよいとためら》う。

（ああ、ああ）と濁った声を出して白痴が件《くだん》のひょろりとした手を差向けたので、婦人は解いたのを渡して遣《や》ると、風呂敷を寛《ひろ》げたような、他愛のない、力のない、膝の上へわがねて宝物《ほうもつ》を守護するようじゃ。

婦人《おんな》は衣紋《えもん》を抱き合せ、乳の下でおさえながら静に土間を出て馬の傍《わき》へつつと寄った。

私《わし》は唯呆気《ただあっけ》に取られて見ていると、爪立《つまだち》をして伸び上り、手をしなやかに空ざまにして、二三度鬣《たてがみ》を撫《な》でたが。

大きな鼻頭《はなづら》の正面にすっくりと立った。丈《せい》もすらすらと急に高くなったように見えた、婦人は目を据え、口を結び、眉《まゆ》を開いて恍惚《うっとり》となった有様、愛嬌《あいきょう》も嬌態《しな》も、世話らしい打解けた風は頓《とみ》に失《う》せて、神か、魔かと思われる。

その時裏の山、向うの峰、左右前後にすくすくとあるのが、一ツ一ツ嘴《くちばし》を向け、頭《かしら》を擡《もた》げて、この一落の別天地、親仁《おやじ》を下手《しもて》に控え、馬に面して彳《たたず》んだ月下の美女の姿を差覗《さしのぞ》くが如く、陰々として深山《みやま》の気が籠《こも》って来た。

生ぬるい風のような気勢《けはい》がすると思うと、左の肩から片膚《かたはだ》を脱いだが、右の手を脱《はず》して、前へ廻し、ふくらんだ胸のあたりで着ていたその単衣《ひとえ》を円《まる》げて持ち、霞《かすみ》も絡《まと》わぬ姿になった。

馬は背《せな》、腹の皮を弛《ゆる》めて汗もしとどに流れんばかり、突張った脚もなよなよとして身震《みぶるい》をしたが、鼻面を地につけて一掴《ひとつかみ》の白泡《しろあわ》を吹出したと思うと前足を折ろうとする。

その時、頤《あぎと》の下へ手をかけて、片手で持っていた単衣をふわりと投げて馬の目を蔽《おお》うが否《いな》や、兎は躍って、仰向けざまに身を翻し、妖気《ようき》を籠《こ》めて朦朧《もうろう》とした月あかりに、前足の間に膚が挟《はさま》ったと思うと、衣《きぬ》を脱して掻取《かいと》りながら下腹を衝《つ》と潜《くぐ》って横に抜けて出た。

親仁は差心得《さしこころえ》たものと見える、この機《きっ》かけに手綱を引いたから、馬はすたすたと健脚を山路《やまじ》に上げた、しゃん、しゃん、しゃん、しゃんしゃん、しゃんしゃん、――見る間に眼界を遠ざかる。

婦人《おんな》は早や衣服《きもの》を引《ひっ》かけて縁側へ入って来て、突然《いきなり》帯を取ろうとすると、白痴《ばか》は惜しそうに押えて放さず、手を上げて、婦人《おんな》の胸を圧《おさ》えようとした。

邪慳《じゃけん》に払い退《の》けて、屹《きっ》と睨《にら》んで見せると、そのままがっくりと頭《こうべ》を垂れた、総《すべ》ての光景は行燈の火も幽《かすか》に幻のように見えたが、炉にくべた柴がひらひらと炎先《ほさき》を立てたので、婦人《おんな》は衝《つ》と走って入る。空の月のうらを行くと思うあたり遥《はるか》に馬子唄が聞えたて」

二十

「さて、それから御飯の時じゃ、膳《ぜん》には山家《やまが》の香の物、生姜《はじかみ》の漬けたのと、わかめを茹《う》でたの、塩漬の名も知らぬ蕈《きのこ》の味噌汁、いやなかなか人参《にんじん》と干瓢《かんぴょう》どころではござらぬ。

品物は侘《わび》しいが、なかなかの御手料理、餓《う》えてはいるし、冥加《みょうが》至極なお給仕、盆を膝《ひざ》に構えてその上に肱《ひじ》をついて、頬を支えながら、嬉《うれ》しそうに見ていたわ。

縁側に居た白痴《ばか》は誰も取合わぬ徒然《つれづれ》に堪えられなくなったものか、ぐたぐたと膝行《いざり》出して、婦人《おんな》の傍へその便々たる腹を持って来たが、崩れたように胡坐《あぐら》して、頻《しき》りにこう我が膳を視《なが》めて、指《ゆびさ》しをした。

(ううう、ううう)

(何でございますね、あとでお食《あが》んなさい、お客様じゃあありませんか)

白痴《ばか》は情ない顔をして口を曲《ゆが》めながら頭《かぶり》を掉《ふ》った。

(厭《いや》? 仕様がありませんね、それじゃ御一所に召しあがれ。貴僧《あなた》、御免を蒙《こうむ》りますよ)

私《わし》は思わず箸《はし》を置いて、

(さあどうぞお構いなく、飛んだ御雑作を頂きます)

(否《いえ》、何の貴僧《あなた》。お前さん後程に私《わたし》と一所にお食べなされば可《い》いのに。困った人でございますよ)とそらさぬ愛想《あいそ》、手早く同一《おなじ》ような膳を拵《こしら》えてならべて出した。

飯のつけようも効々《かいがい》しい女房ぶり、然《しか》も何となく奥床しい、上品な、高家の風がある。

白痴《ばか》はどんよりした目をあげて膳の上を睨《ね》めていたが、

(あれを、ああ、あれ、あれ)といってきょろきょろと四辺《あたり》を眴《みまわ》す。

婦人《おんな》は熟《じっ》と瞻《みまも》って、

（まあ、可《い》いじゃないか。そんなものは何時《いつ》でも食べられます、今夜はお客様がありますよ）

（うむ、いや、いや）と肩腹を揺《ゆす》ったが、べそを掻いて泣出しそう。

婦人《おんな》は困《こう》じ果てたらしい、傍《かたわら》のものの気の毒さ。

（嬢様、何か存じませんが、おっしゃる通りになすったが可《よ》いではございませんか。私《わたくし》にお気遣《きづかい》は却《かえ》って心苦しゅうございます）と慇懃《いんぎん》にいうた。

婦人は又もう一度、

（厭《いや》かい、これでは悪いのかい）

白痴が泣出しそうにすると、さも怨《うら》めしげに流眄《ながしめ》に見ながら、こわれごわれになった戸棚の中から、鉢に入ったのを取り出して手早く白痴の膳につけた。

（はい）と故《わざ》とらしく、すねたようにいって笑顔造《えがおづくり》。

はてさて迷惑な、こりゃ目の前で黄色蛇《あおだいしょう》の旨煮《うまに》か、腹籠《はらごもり》の猿の蒸焼か、災難が軽うても、赤蛙《あかがえる》の干物《ひもの》を大口にしゃぶるであろうと、潜《そっ》と見ていると、片手に椀《わん》を持ちながら掴出《つかみだ》したのは、老沢庵《ひねたくあん》。

それもさ、刻んだのではないで、一本三ツ切にしたろうという握太《にぎりぶと》なのを横銜《よこぐわ》えにしてやらかすのじゃ。

婦人はよくよくあしらいかねたか、盗むように私《わし》を見て颯《さつ》と顔を赧《あか》らめて初心らしい、そんな質《たち》ではあるまいに、羞《はず》かしげに膝なる手拭の端を口にあてた。

なるほどこの少年はこれであろう、身体《からだ》は沢庵色にふとっている。やがてわけもなく餌食《えじき》を平らげて湯ともいわず、ふッふッと大儀そうに呼吸《いき》を向うへ吐《つ》くわさ。

(何でございますか、私は胸に支《つか》えましたようで、些少《ちっと》も欲しくございませんから、又後程に頂きましょう)

と婦人《おんな》自分は箸も取らずに二ツの膳を片づけてな」

二十一

「頃刻悄乎《しばらくしょんぼり》としていたっけ。

(貴僧《あなた》、さぞお疲労《つかれ》、直《すぐ》にお休ませ申しましょうか)

(難有《ありがと》う存じます、未《ま》だ些《ちっ》とも眠くはござりません、先刻《さっき》体を洗いましたので草臥《くたびれ》もすっかり復《なお》りました)

(あの流《ながれ》はどんな病にでもよく利《き》きます、私《わたし》が苦労をいたしまして骨と皮ばかりに体が朽《か》れましても、半日彼処《あすこ》につかっておりますと、水々しくなるのでございますよ。尤《もっと》もあのこれから冬になりまして山が宛然《まるで》氷って了《しま》い、川も崖《がけ》も不残《のこらず》雪になりましても、貴僧《あなた》が行水を遊ばした彼処《あすこ》ばかりは水が隠れません、そうしていきりが立ちます。

鉄砲疵《きず》のございます猿だの、貴僧《あなた》、足を折った五位鷺《ごいさぎ》、種々《いろいろ》なものが浴《ゆあ》みに参りますからその足跡《あしあと》で崕の路が出来ます位、きっとそれが利いたのでございましょう。

そんなにございませんければこうやってお話をなすって下さいまし、寂しくってなりません、本当《ほんと》にお可愧《はずか》しゅうございますが、こんな山の中に引籠《ひっこも》っておりますと、ものをいうことも忘れましたようで、心細いのでございますよ。

貴僧《あなた》、それでもお眠ければ御遠慮なさいますなえ。別にお寝室《ねま》と申してもございませんがその代り蚊は一ツも居ませんよ、町方ではね、上《かみ》の洞《ほら》の者は、里へ泊りに来た時蚊帳《かや》を釣って寝かそうとすると、どうして入るのか解らないので、梯子《はしご》を貸せいと喚いたと申して嬲《なぶ》るのでございます。

沢山朝寝《たんと》を遊ばしても鐘は聞えず、鶏《とり》も鳴きません、犬だって居りませんからお心安うございましょう。

この人も生れ落ちるとこの山で育ったので、何にも存じません代り、気の可《い》い人で些《ちっ》ともお心置はないのでござんす。

それでも風《ふう》俗のかわった方がいらっしゃいますと、大事にしてお辞儀をすることだけは知ってでございますが、未だ御挨拶《あいさつ》をいたしませんね。この頃は体がだるいと見えてお惰《なま》けさんになんなすったよ。否《いいえ》、まるで愚《おろか》なのではございません。何でもちゃんと心得ております。

さあ、御坊様に御挨拶をなすって下さい。まあ、お辞儀をお忘れかい）と親しげに身を寄せて、顔を差し覗《のぞ》いて、いそいそしていうと、白痴《ばか》はふらふらと両手をついて、ぜんまいが切れたようにがっくり一礼。

（はい）といって私《わし》も何か胸が迫って頭《つむり》を下げた。

そのままその俯向《うつむ》いた拍子に筋が抜けたらしい、横に流れようとするのを、婦人《おんな》は優しゅう扶《たす》け起して、

（おお、よく為《し》たのねえ）

天晴《あっぱれ》といいたそうな顔色《かおつき》で、

（貴僧《あなた》、申せば何でも出来ましょうと思いますけれども、この人の病ばかりはお医者の手でもあの水でも復《なお》りませせなんだ、両足が立ちませんのでございますから、何を覚えさしましても役には立ちません。それにご覧なさいまし、お辞儀一ツいたしますさえ、あの通り大儀らしい。

ものを教えますと覚えますのにさぞ骨が折れて切のうござんしょう、体を苦しませ

るだけだと存じて何にも為《さ》せないで置きますから、段々、手を動かす働《はたらき》も、ものをいうことも忘れました。それでもあの、謡《うた》が唄えますわ。二ツ三ツ今でも知っておりますよ。さあお客様に一ツお聞かせなさいましなね）

白痴《ばか》は婦人《おんな》を見て、又私《わし》が顔をじろじろ見て、人見知《ひとみしり》をするといった形で首を振った」

二十二

「左右《とこう》して、婦人《おんな》が、励ますように、賺《すか》すようにして勧めると、白痴《ばか》は首を曲げてかの臍《へそ》を弄《もてあそ》びながら唄った。

木曾《きそ》の御岳山《おんたけさん》は夏でも寒い、
袷遣《あわせや》りたや足袋《たび》添えて。

（よく知っておりましょう）と婦人《おんな》は聞き澄して莞爾《にっこり》する。

不思議や、唄った時の白痴《ばか》の声はこの話をお聞きなさるお前様は固《もと》よりじゃが、私《わし》も推量したとは月鼈雲泥《げつべつうんでい》、天地の相違、節廻し、あげさげ、呼吸《いき》の続くところから、第一その清らかな涼しい声という者は、到底この少年の咽喉《のど》から出たものではない。先《ま》ず前《さき》の世のこの白痴《ばか》の身が、冥土《めいど》から管でそのふくれた腹へ通わして寄越すほどに聞えましたよ。

私は畏《かしこま》って聞き果てると、膝に手をついたッきりどうしても顔を上げて其処《そこ》な男女《ふたり》を見ることが出来ぬ。何か胸がキヤキヤして、はらはらと落涙した。

婦人《おんな》は目早く見つけたそうで、

（おや、貴僧《あなた》、どうかなさいましたか）

急にものもいわれなんだが漸々《ようよう》、

（唯《はい》、何《なあに》、変ったことでもござりませぬ、私《わし》も嬢様のことは別にお尋ね申しませんから、貴女《あなた》も何《なん》にも問うては下さりますな）

と仔細《しさい》は語らず唯《ただ》思い入ってそう言うたが、実は以前から様子でも知れる、金釵玉簪《きんさぎよくさん》をかざし、蝶衣《ちようい》を纏《まと》うて、珠履《しゆり》を穿《うが》たば、＊正《まさ》に驪山《りさん》＊に入って、相抱《あいいだ》くべき豊肥妖艶《ほうひようえん》の人が、その男に対する取廻しの優しさ、隔《へだて》なさ、深切さに、人事ながら嬉しくて、思わず涙が流れたのじゃ。

すると人の腹の中を読みかねるような婦人《おんな》ではない、忽《たちま》ち様子を悟ったかして、

（貴僧《あなた》は真個《ほんとう》にお優しい）といって、得も謂《い》われぬ色を目に湛《たた》えて、じっと見た。私《わし》も首を低《こうべ》れた《た》、むこうでも差俯向く。

いや、行燈《あんどん》が又薄暗くなって参ったようじゃが、恐らくこりゃ白痴《ばか》の所為《せい》じゃて。

その時よ。

座が白けて、暫《しばら》く言葉が途絶えたうちに所在がないので、唄うたいの太夫《たゆう》、退屈をしたとみえて、顔の前の行燈を吸い込むような大欠伸《おおあくび》をしたから。

身動きをしてな、

（寝ようちゃあ、寝ようちゃあ）とよたよた体を持扱うわい。

（眠うなったのかい、もうお寝か）といったが坐り直ってふと気がついたように四辺《あたり》を眴《みまわ》した。戸外《おもて》はあたかも真昼のような、月の光は開け拡《ひろ》げた家《や》の内へはらはらとさして、紫陽花《あじさい》の色も鮮麗《あざやか》に蒼《あお》かった。

（貴僧《あなた》ももうお休みなさいますか）

（はい、御厄介にあいなりまする）

（まあ、いま宿を寝かします、おゆっくりなさいましな。戸外《おもて》へは近うござんすが、夏は広い方が結句宜《よ》うございましょう、私《わたし》どもは納戸《なんど》へ臥《ふ》せりますから、貴僧《あなた》は此処《ここ》へお広くお寛《くつろ》ぎが可《よ》うござんす。一寸《ちょいと》待って）といいかけて衝《つつ》と立ち、つかつかと足早に土間へ下りた、余り身のこなしが活潑であったので、その拍子に黒髪が先を巻いたまま項《うなじ》へ崩れた。

鬢《びん》をおさえて戸につかまって、戸外《おもて》を透かしたが、独言《ひとりごと》をした。

(おやおやさっきの騒ぎで櫛《くし》を落したそうな)
いかさま馬の腹を潜《くぐ》った時じゃ」

二十三

この折から下の廊下に跫音《あしおと》がして、静に大跨《おおまた》に歩行《ある》いたのが、寂《せき》としているから能《よ》く。

やがて小用を達《た》した様子、雨戸をばたりと開けるのが聞えた、手水鉢《ちょうずばち》へ柄杓《ひしゃく》の響。

「おお、積った、積った」と呟《つぶや》いたのは、旅籠屋《はたごや》の亭主の声である。

「ほほう、この若狭《わかさ》の商人《あきんど》は何処へか泊ったと見える、何か愉快《おもしろ》い夢でも見ているかな」

「どうぞその後《あと》を、それから」と聞く身には他事をいううちが牴悟《もどか》しく、膠《にべ》もなく続きを促した。

「さて、夜も更《ふ》けました」といって旅僧は又語出《かたりだ》した。

「大抵推量もなさるであろうが、いかに草臥《くたび》れておっても申上げたような深山《みやま》の孤家《ひとつや》で、眠られるものではない、それに少し気になって、はじめの内私《わし》を寝かさなかった事もあるし、目は冴《さ》えて、まじまじしていたが、さすがに、疲《つかれ》が酷《ひど》いから、心《しん》は少し茫乎《ぼんやり》して来た、何しろ夜の白むのが待遠でならぬ。

其処ではじめの内は我ともなく鐘の音の聞えるのを心頼みにして、今鳴るか、もう鳴るか、はて時刻はたっぷり経《た》ったものをと、怪しんだが、やがて気が付いて、こう云う処《ところ》じゃ山寺どころではないと思うと、俄《にわか》に心細くなった。

その時は早や、夜がものに譬《たと》えると谷の底じゃ、白痴《ばか》がだらしのない寐息《ねいき》も聞えなくなると、忽ち戸の外にものの気勢《けはい》がして来た。

獣の跫音のようで、さまで遠くの方から歩行《ある》いて来たのではないよう、猿も、蟇《ひき》も、居る処と、気休めに先ず考えたが、なかなかどうして。

暫くすると今其奴《そやつ》が正面の戸に近《ちかづ》いたなと思ったのが、羊の鳴声になる。

私《わし》はその方を枕にしていたのじゃから、つまり枕頭《まくらもと》の戸外《おもて》じゃな。暫くすると、右手《めて》のかの紫陽花が咲いていたその花の下あたりで、鳥の羽ばたきする音。

むささびかも知らぬがきッきッといって屋の棟へ、やがて凡《およ》そ小山ほどあろうと気《け》取《ど》られるのが胸を圧《お》すほどに近《ちかづ》いて来て、牛が鳴いた、遠く彼方《かなた》からひたひたと小刻《こきざみ》に駈《か》けて来るのは、二本足に草鞋《わらじ》を穿《は》いた獣と思われた、いやさまざまにむらむらと家《うち》のぐるりを取巻いたようで、二十三十のものの鼻息、羽音、中には囁《ささや》いているのがある。あたかも何よ、それ畜生道の地獄の絵を、月夜に映したような怪しの姿が板戸一重、魑魅魍魎《ちみもうりょう》というのであろうか、ざわざわと木の葉が戦《そよ》ぐ気色《けしき》だった。
息を凝《こら》すと、納戸《なんど》で、
（うむ）といって長く呼吸《いき》を引いて一声《ひとこえ》、魘《うなさ》れたのは婦人《おんな》じゃ。
（今夜はお客様があるよ）と叫んだ。
（お客様があるじゃないか）
と暫く経って二度目のは判然《はっきり》と清《すず》しい声。
極めて低声《こごえ》で、
（お客様があるよ）といって寝返る音がした、更に寝返る音がした。
戸の外のものの気勢《けはい》は動揺《どよめき》を造るが如く、ぐらぐらと家が揺《ゆらめ》いた。
私《わし》は陀羅尼《だらに》＊を呪《じゅ》した。

若《にゃ》不《くふ》順《じゅん》我《が》呪《しゅ》　悩《のう》乱《らん》説《せっ》法《ぽう》者《じゃ》
頭《ず》破《は》作《さ》七《しち》分《ぶん》　如《にょ》阿《あ》梨《り》樹《じゅ》枝《し》
如《にょ》殺《し》父《ぶ》母《も》罪《ざい》　亦《やく》如《にょ》厭《おう》油《ゆ》殃《おう》
斗《と》秤《しょう》欺《ご》誑《おう》人《にん》　調《ちょう》達《だつ》破《は》僧《そう》罪《ざい》
犯《ぼん》此《し》法《ほっ》師《し》者《しゃ》　当《とう》獲《ぎゃく》如《にょ》是《ぜ》殃《おう》

と一心不乱、颯《さつ》と木の葉を捲《ま》いて風が南《みんなみ》へ吹いたが、忽ち静り返った、夫婦が閨《ねや》もひッそりした」

二十四

「翌日又正午頃《ひるごろ》、里近く、滝のある処で、昨日馬を売りに行った親仁《おやじ》の帰りに逢《お》うた。

丁度私《わし》が修行に出るのを止《よ》して孤家《ひとつや》に引返して、婦人《おんな》と一所に生涯《しょうがい》を送ろうと思っていた処で。

実を申すと此処へ来る途中でもその事ばかり考える、蛇の橋も幸になし、蛭《ひる》の林もなかったが、道が難渋なにつけても、汗が流れて心持が悪いにつけても、今更行脚《あんぎゃ》もつまらない。紫の袈裟《けさ》をかけて、七堂伽藍《しちどうがらん》に住んだところで何程のこともあるまい、活仏様《いきぼとけさま》じゃというて、わあわあ拝まれれば人いきれで胸が悪くなるばかりか。

些《ち》とお話もいかがじゃから、先刻《さっき》はことを分けていいませなんだが、昨夜《ゆうべ》も白痴《ばか》を寐かしつけると、婦人《おんな》が又炉のある処へやって来て、世の中へ苦労をしに出ようより、夏は涼しく、冬は暖い、この流《ながれ》に一所に私《わたし》の傍《そば》においでなさいというてくれるし、まだまだそればかりでは自分に魔が魅《さ》したようじゃけれども、ここに我身で我身に言訳が出来るというのは、頻《しきり》に婦人《おんな》が不便《ふびん》でならぬ、深山《みやま》の孤家《ひとつや》に白痴《ばか》の伽《とぎ》をして言葉も通ぜず、日を経《ふ》るに従うてものをいうことさえ忘れるような気がするというは何たる事！

殊《こと》に今朝も東雲《しののめ》に袂《たもと》を振り切って別れようとすると、お名残惜しや、かような処にこうやって老朽《おいく》ちる身の、再びお目にはかかられまい、いささ小川の水になりとも、何処ぞで白桃の花が流れるのをご覧になったら、私の体が谷川に沈んで、ちぎれちぎれになったことと思え、といって悄《しお》れながら、なお深切に、道は唯この谷川の流に沿うて行きさえすれば、どれほど遠くても里に出らるる、目の下近く水が躍って、滝になって落つるのを見たら、人家が近づいたと心を安んずるように、と気をつけて、孤《ひとつ》家《や》の見えなくなった辺《あたり》で、指《ゆびさ》しをしてくれた。

その手と手を取交《とりかわ》すには及ばずとも、傍につき添って、朝夕の話対手《はなしあいて》、蕈《きのこ》の汁で御《ご》膳《ぜん》を食べたり、私《わし》が榾《ほだ》を焚《た》いて、婦人《おんな》が鍋《なべ》をかけて、私《わし》が木《こ》の実を拾って、婦人《おんな》が皮を剝《む》いて、それから障子の内と外で、話をしたり、笑ったり、それから谷川で二人して、その時の婦人《おんな》が裸体《はだか》になって私《わし》が背中へ呼吸《いき》が通《かよ》って、微妙な薫《かおり》の花びらに暖《あたたか》に包まれたら、そのまま命が失《う》せても可《い》い！

滝の水を見るにつけても耐え難いのはその事であった。いや、冷汗が流れますて。

その上、もう気がたるみ、筋が弛《ゆる》んで、早や歩行《ある》くのに飽きが来て、喜ばねばならぬ人家が近づいたのも、高がよくされて口の臭い婆《ばあ》さんに渋茶を振舞われるのが関の山と、里へ入るのも厭《いや》になったから、石の上へ腰を懸けた、丁度目の下にある滝じゃった、これがさ、後《のち》に聞くと女夫滝《めおとだき》と言うそうで。

真中に先ず鰐鮫《わにざめ》が口をあいたような先のとがった黒い大巌《おおいわ》が突出ていると、上から流れて来る颯《さっ》と瀬の早い谷川が、これに当って両《ふたつ》に岐《わか》れて、凡そ四丈ばかりの滝になって哄《どっ》と落ちて、又暗碧《あんぺき》に白布《しろぬの》を織って矢を射るように里へ出るのじゃが、その巌にせかれた方は六尺ばかり、これは川の一幅《ひとはば》を裂いて糸も乱れず、一方は幅が狭い、三尺位、この下には雑多な岩が並ぶとみえて、ちらちらちらちらと玉の簾《すだれ》を百千《ももち》に砕いたよう、件《くだん》の鰐鮫の巌に、すれつ、縋《もつ》れつ」

二十五

「唯《ただ》一筋でも巌を越して男滝《おだき》に縋《すが》りつこうとする形、それでも中を隔てられて末までは雫《しずく》も通わぬので、揉《も》まれ、揺られて具《つぶ》さに辛苦を嘗《な》めるという風情《ふぜい》、この方は姿も窶《やつ》れ容《かたち》も細って、流るる音さえ別様に、泣くか、怨《うら》むかとも思われるが、あわれにも優しい女滝《めだき》じゃ。

男滝《おだき》の方はうらはらで、石を砕き、地を貫く勢、堂々たる有様じゃ、これが二つ件《くだん》の巌に当って左右に分れて二筋となって落ちるのが身に浸《し》みて、女滝の心を砕く姿は、男の膝《ひざ》に取ついて美女が泣いて身を震わすようで、岸に居てさえ体がわななく、肉が跳《おど》る。沉《ま》してこの水上《みなかみ》は、昨日孤家《ひとつや》の婦人《おんな》と水を浴びた処と思うと、気の所為《せい》かその女滝の中に絵のようなかの婦人《おんな》の姿が歴々《ありあり》、と浮いて出ると巻込まれて、沈んだと思うと又浮いて、千筋《ちすじ》に乱るる水とともにその膚《はだえ》が粉《こ》に砕けて、花片《はなびら》が散込むような。あなやと思うと更に、もとの顔も、胸も、乳も、手足も全き姿となって、浮いつ沈みつ、ぱッと刻まれ、あッと見る間に又あらわれる。私《わし》は耐《たま》らず真逆《まつさかさま》に滝の中へ飛込んで、女滝を確《しか》と抱いたとまで思った。気がつくと男滝の方はどうどうと地響打たせて、山彦を呼んで轟《とどろ》いて流れている。ああその力を以《もつ》て何故《なぜ》救わぬ、儘《まま》よ！

滝に身を投げて死のうより、旧《もと》の孤家《ひとつや》へ引返せ。汚らわしい欲のあればこそこうなった上に躊躇《ちゆうちよ》するわ、その顔を見て声を聞けば、渠等夫婦《かれら》が同衾《ひとつね》するのに枕《まくら》を並べて差支《さしつか》えぬ、それでも汗になって修行をして、坊主で果てるよりは余程の増じゃと、思切って戻ろうとして、石を放れて身を起した、背後《うしろ》から一ツ背中を叩《たた》いて、

（やあ御坊様）といわれたから、時が時なり、心も心、後暗《うしろぐら》いので吃驚《びつくり》して見ると、閻王《えんおう》の使《つかい》ではない、これが親仁。

馬は売ったか、身軽になって、小さな包を肩にかけて、手に一尾《び》の鯉《こい》の、鱗《うろこ》は金色《こんじき》なる、潑剌《はつらつ》として尾の動きそうな、鮮《あたら》しい、その丈《たけ》三尺ばかりなのを、顋《あぎと》に藁《わら》を通し

て、ぶらりと提げていた。何んにも言わず急にものもいわれないで瞻《みまも》ると、親仁はじっと顔を見たよ。そうしてにやにやと、又一通りの笑い方ではないて、薄気味の悪い北叟笑《ほくそえみ》をして、

（何をしてござる、御修行の身が、この位の暑《あつさ》で、岸に休んでいさっしゃる分ではあんめえ、一生懸命に歩行《ある》かっしゃりや、昨夜《ゆうべ》の泊《とまり》から此処まではたった五里、もう里へ行って地蔵様を拝まっしゃる時刻じゃ。

何じゃの、己《おら》が嬢様に念《おもい》が懸って煩悩《ぼんのう》が起きたのじゃの。うんにゃ、秘《かく》さっしゃるな、おらが目は赤くッても、白いか黒いかはちゃんと見える。

地体並《じたいなみ》のものならば、嬢様の手が触ってあの水を振舞われて、今まで人間でいよう筈《はず》はない。

牛か、馬か、猿か、蟇《ひき》か、蝙蝠《こうもり》か、何にせい飛んだか跳ねたかせねばならぬ。谷川から上って来さしった時、手足も顔も人じゃから、おらあ魂消《たまげ》た位。お前様それでも感心に志が堅固じゃから助かったようなものよ。

何と、おらが曳《ひ》いて行った馬を見さしったろう、それで、孤家《ひとつや》へ来さっしゃる山路《やまみち》で富山《とやま》の反魂丹売《はんごんたんうり》に逢《あ》わしったというではないか、それ見さっせい、あの助平野郎、疾《とう》に馬になって、それ馬市で銭《おあし》になって、銭が、そうらこの鯉に化けた。大好物で晩

飯の菜になさる、お嬢様を一体何じゃと思わっしゃるの）」

私《わたし》は思わず遮《さえぎ》った。

「お上人《しょうにん》？」

二十六

上人は頷《うなず》きながら呟《つぶや》いて、

「いや、先《ま》ず聞かっしゃい、あの孤家《ひとつや》の婦人《おんな》というは、旧《もと》な、これも私《わし》には何かの縁があった、あの恐しい魔所へ入ろうという岐道《そばみち》の水が溢《あふ》れた往来で、百姓が教えて、彼処《あすこ》はその以前医者の家であったというたが、その家の嬢様じゃ。

何でも飛驒《ひだ》一円当時変ったことも珍らしいこともなかったが、唯取り出《い》でていう不思議はこの医者の娘で、生れると玉のよう。

母親《おふくろ》殿は頬板《ほおつぺた》のふくれた、眦《めじり》の下った、鼻の低い、俗にさし乳《ぢち》というあの毒々しい左右の胸の房を含んで、どうしてあれほど美しく育ったものだろうという。

昔から物語の本にもある、屋の棟へ白羽の征矢《そや》が立つか、さもなければ狩倉《かりくら》*の時貴人《あでびと》のお目に留って御殿に召出されるのは、あんなのじゃと噂《うわさ》が高かった。

父親《てておや》の医者というのは、頰骨のとがった髯《ひげ》の生えた、見得坊で傲慢《ごうまん》、その癖でもじや、勿論《もちろん》田舎には刈入の時よく稲の穂が目に入ると、それから煩《わずら》う、脂目《やにめ》、赤目《あかめ》、流行目《はやりめ》が多いから、先生眼病の方は少し遣《や》ったが、内科と来てはからッぺた。外科なんと来た日にゃあ、鬢附《びんつけ》へ水を垂らしてひやりと疵《きず》につける位なところ。

鰯《いわし》の天窓《あたま》も信心から、それでも命数の尽きぬ輩《やから》は本復するから、外《ほか》に竹庵養仙木斎《ちくあんようせんもくさい》＊の居ない土地、相応に繁昌した。

殊《こと》に娘が十六七、女盛《おんなざかり》となって来た時分には、薬師様＊が人助けに先生様の内へ生れてござったといって、信心渇仰《しんじんかつこう》の善男善女《ぜんなんぜんにょ》？　病男病女が我も我もと詰め懸ける。

それというのが、はじまりはあの嬢様が、それ、馴染《なじみ》の病人には毎日顔を合せるところから愛想《あいそ》の一ツも、あなたお手が痛みますかい、どんなでございます、といって手先へ柔かな掌《てのひら》が障ると第一番に次作兄《じさくあに》いという若いのの（りょうまちす）が全快、お苦しそうなといって腹をさすって遣ると水あたりの差込の留まったのがある、初手《しょて》は若い男ばかりに利《き》いたが、段々老人《としより》にも及ぼして、後には婦人《おんな》の病人もこれで復《なお》る、復らぬまでも苦痛《いたみ》が薄らぐ、根太《ねぶと》の膿《うみ》を切って出すさえ、錆《さ》びた小刀で引裂《ひっさ》く医者殿が腕前じゃ、病人は七顚八倒《しちてんばっとう》して悲鳴を上ぐるのが、娘が来て背中へぴったりと胸をあてて肩を押えていると、我慢が出来るといったようなわけであったそうな。

一時《ひとしきり》あの藪《やぶ》の前にある枇杷《びわ》の古木へ熊蜂《くまんばち》が来て可恐《おそろ》しい大きな巣をかけた。

すると、医者の内弟子で薬局、拭《ふき》掃除もすれば惣菜畠《そうざいばたけ》の芋も掘る、近い所へは車夫も勤めた、下男兼帯の熊蔵という、その頃二十四五歳、稀塩酸《きえんさん》に単舎利別《たんしやりべつ》を混ぜたの*を瓶《びん》に盗んで、内が吝嗇《けち》じゃから見附かると叱られる、これを股引《ももひき》や袴《はかま》と一所に戸棚の上に載せて置いて、隙《ひま》さえあればちびりちびりと飲んでた男が、庭掃除をするとって、件《くだん》の蜂の巣を見つけたッけ。

縁側へ遣《や》って来て、お嬢様面白いことをしてお目に懸けましょう、無躾《ぶしつけ》でござりますが、私《わたし》のこの手を握って下さりますと、あの蜂の中へ突込《つっこ》んで、蜂を摑《つか》んで見せましょう。お手が障った所だけは螫《さ》しましても痛みませぬ、竹箒《たけぼうき》で引払《ひっぱた》いては八方へ散らばって体中に集《たか》られてはそれは凌《しの》げませぬ即死でございますがと、微笑《ほほえ》んで控える手で無理に握って貰《もら》い、つかつかと行くと、凄《すさま》じい虫の唸《うなり》、やがて取って返した左の手に熊蜂が七ツ八ツ、羽ばたきするのがある、脚を振うのがある、中には摑《つか》んだ指の股《また》へ這出《はいだ》しているのがあった。

さあ、あの神様の手が障れば鉄砲玉でも通るまいと、蜘蛛《くも》の巣のように評判が八方へ。

その頃からいつとなく感得したものとみえて、仔細《しさい》あって、あの白痴《ばか》に身を任せて山に籠《こも》ってからは神変不思議、年を経《ふ》るに従うて神通自在じゃ、はじめは体を押つけたのが、足ばかりとなり、手さきとなり、果は間を隔てていても、道を迷うた旅人は嬢様が思うまま、はッという呼吸《いき》で変ずるわ。

と親仁《おやじ》がその時物語って、御坊は、孤家《ひとつや》の周囲《ぐるり》で、猿を見たろう、蟇《ひき》を見たろう、蝙蝠を見たであろう、兎《うさぎ》も蛇も皆《みんな》嬢様に谷川の水を浴びせられて畜生にされたる輩《やから》！

あわれその時あの婦人《おんな》が、蟇に絡《まつわ》られたのも、猿に抱かれたのも、蝙蝠に吸われたのも、夜中に魑魅魍魎《ちみもうりょう》に魘《おそ》われたのも、思い出して、私《わし》は犇々《ひしひし》と胸に当った。

なお親仁のいうよう。

今の白痴《ばか》も、件《くだん》の評判の高かった頃、医者の内へ来た病人、その頃は未《ま》だ子供、朴《ぼく》訥《とつ》な父親が附添い、髪の長い、兄貴《あにき》がおぶって山から出て来た。脚に難渋な腫物《はれもの》があった、その療治を頼んだので。

固《もと》より一室《ひとま》を借受けて、逗留《とうりゅう》をしておったが、かほどの悩《なやみ》は大事《おおごと》じゃ、血も大分に出さねばならぬ、殊に子供、手を下《おろ》すには体に精分をつけてからと、先ず一日に三ツずつ鶏卵《たまご》を飲まして、気休めに膏薬《こうやく》を貼《は》って置く。

その膏薬を剝《は》がすにも親や兄、又傍のものが手を懸けると、堅くなって硬《こわ》ばったのが、めりめりと肉にくッついて取れる、ひいひいと泣くのじゃが、娘が手をかけてやれば黙って耐《こら》えた。

一体は医者殿、手のつけようがなくって身の衰《おとろえ》をいい立てに一日延ばしにしたのじゃが三日経《た》つと、兄を残して、克明な父親《てておや》は股引《ももひき》の膝でずって、あとさがりに玄関から土間へ、草鞋を穿《は》いて又地《つち》に手をついて、次男坊の生命《いのち》の扶《たす》かりまするように、ねえねえ、というて山へ帰った。

それでもなかなか捗取《はかど》らず、七日《なぬか》も経ったので、後に残って附添っていた兄者人《あにじやひと》が、丁度刈入で、この節は手が八本も欲しいほど忙しい、お天気模様も雨のよう、長雨にでもなりますと、山畠《やまばたけ》にかけがえのない、稲が腐っては、餓死《うえじに》でござりまする、総領の私《わし》は、一番の働手、こうしてはおられませぬから、と辞《ことわり》をいって、やれ泣くでねえぞ、としんみり子供にいい聞かせて病人を置いて行った。

後には子供一人、その時が、戸長様《こちょうさま》の帳面前年紀《とし》六ツ、親六十で児《こ》が二十《はたち》なら徴兵はお目こぼしと何を間違えたか届が五年遅うして本当は十一、それでも奥山で育ったから村の言葉も碌《ろく》には知らぬが、怜悧《りこう》な生れで聞分《ききわけ》があるから、三ツずつあいかわらず鶏卵《たまご》を吸わせられる汁《つゆ》も、今に療治の時残らず血になって出ることと推量して、べそを掻《か》いても、兄者《あにじや》が泣くなといわしったと、耐《こら》えていた心の内。

娘の情《なさけ》で内《うち》と一所に膳《ぜん》を並べて食事をさせると、沢庵の切《きれ》をくわえて隅の方へ引込むいじらしさ。

弥《いよい》よ明日《あす》が手術という夜は、皆寝静まってから、しくしく蚊のように泣いているのを、手水《ちょうず》に起きた娘が見つけてあまり不便《ふびん》さに抱いて寝てやった。

さて療治となると例の如く娘が背後《うしろ》から抱いていたから、脂汗《あぶらあせ》を流しながら切れものが入るのを、感心にじっと耐《こら》えたのに、何処を切違えたか、それから流れ出した血が留まらず、見る見る内に色が変って、危くなった。

医者も蒼《あお》くなって、騒いだが、神の扶けか漸《ようよ》う生命《いのち》は取留まり、三日ばかりで血も留まったが、到頭腰が抜けた、固より不具《かたわ》。

これが引摺《ひきず》って、足を見ながら情なそうな顔をする、蟋蟀《きりぎりす》が挘《も》がれた脚を口に銜《くわ》えて泣くのを見るよう、目もあてられたものではない。

しまいには泣出すと、外聞もあり、少焦《すこじれ》で、医者は可恐《おそろ》しい顔をして睨《にら》みつけると、あわれがって抱きあげる娘の胸に顔をかくして縋る状《すがるさま》に、年来《としごろ》随分と人を手にかけた医者も我を折って腕組をして、はッという溜息《ためいき》。

やがて父親《てておや》が迎にござった、因果と断念《あきら》めて、別に不足はいわなんだが、何分小児《こども》が娘の手を放れようといわぬので、医者も幸《さいわい》、言訳旁《いいわけかたがた》、親兄《おやあに》の心をなだめるため、其処で娘に小児を家《うち》まで送らせることにした。

送って来たのが孤家《ひとつや》で。

その時分はまだ一個の荘《しよう》、家《うち》も小二十軒あったのが、娘が来て一日二日、ついほだされて逗留した五日目から大雨が降出《ふりだ》した。滝を覆《くつがえ》すようで小歇《おやみ》もなく家《うち》に居ながら皆《みんな》蓑笠《みのかさ》で凌《しの》いだ位、茅葺《かやぶき》の繕いをすることはさて置いて、表の戸も明けられず、内から内、隣同士、おうおうと声をかけ合って纔《わずか》に未《ま》だ人種《ひとだね》の世に尽きぬのを知るばかり、八日を八百年と雨の中に籠《こも》ると九日目の真夜中から大風が吹出してその風の勢こが峠という処で忽《たちま》ち泥海。

この洪水で生残ったのは、不思議にも娘と小児とそれにその時村から供をしたこの親仁《おやじ》ばかり。

同一《おなじ》水で医者の内も死絶《しにた》えた、さればかような美女が片田舎《かたいなか》に生れたのも里が世がわり、代《だい》がわりの前兆であろうと、土地のものは言い伝えた。

嬢様は帰るに家なく、世に唯一人となって小児と一所に山に留まったのは御坊が見らるる通り、又あの白痴《ばか》につきそって行届いた世話も見らるる通り、洪水の時から十三年、いまになるまで一日もかわりはない。

といい果てて親仁は又気味の悪い北叟笑《ほくそえみ》。

(こう身の上を話したら、嬢様を不便《ふびん》がって、薪《まき》を折ったり水を汲《く》む手助けでもしてやりたいと、情《なさけ》が懸ろう。本来の好心《すきごころ》、可加減《いい》な慈悲じゃとか、情じゃとかいう名につけて、一層《いつそ》山へ帰りたかんべい、はて措《お》かっしゃい。あの白痴《ばか》殿の女房になって世の中へは目もやらぬ換《かわり》にゃあ、嬢様は如意《によい》自在、男はより取《ど》って、飽けば、息をかけて獣にするわ、殊にその洪水以来、山を穿《うが》ったこの流は天道様がお授けの、男を誘《いざな》う怪しの水、生命《いのち》を取られぬものはないのじゃ。

天狗道《てんぐどう》にも三熱の苦悩、*髪が乱れ、色が蒼ざめ、胸が痩《や》せて手足が細れば、谷川を浴びると旧《もと》の通り、それこそ水が垂るばかり、招けば活きた魚《うお》も来る、睨《にら》めば美しい木《こ》の実《み》も落つる、袖を翳《かざ》せば雨も降るなり、眉《まゆ》を開けば風も吹くぞよ。

然《しか》もうまれつきの色好み、殊に又若いのが好《すき》じゃで、何か御坊にいうたであろうが、それを実《まこと》としたところで、やがて飽かれると尾が出来る、耳が動く、足がのびる、忽ち形が変ずるばかりじゃ。

いややがて、この鯉を料理して、大胡坐《おおあぐら》で飲む時の魔神の姿が見せたいな。

妄念《もうねん》は起さずに早う此処を退《の》かっしゃい、助けられたが不思議な位、嬢様別してのお情じゃわ、生命冥加《いのちみようが》な、お若いの、きっと修行をさっしゃりませ）と又一ツ背中を叩いた、親仁は鯉を提げたまま見向きもしないで、山路《やまじ》を上《かみ》の方。

見送ると小さくなって、一座の大山の背後《うしろ》へかくれたと思うと、油旱《あぶらひでり》の焼けるような空に、その山の巓《いただき》から、すくすくと雲が出た、滝の音も静まるばかり殷々《いんいん》として雷《らい》の響。

藻抜《もぬ》けのように立っていた、私《わし》が魂は身に戻った、其方《そなた》を拝むと斉《ひと》しく、杖《つえ》をかい込み、小笠《おがさ》を傾け、踵《くびす》を返すと慌《あわただ》しく一散に駈け下りたが、里に着いた時分に山は驟《ゆう》雨《だち》、親仁《おやじ》が婦人《おんな》に齎《もた》らした鯉もこのために活きて孤家《ひとつや》に着いたろうと思う大雨であった」

高野聖《こうやひじり》はこのことについて、敢《あえ》て別に註《ちゅう》して教を与えはしなかったが、翌朝袂《たもと》を分って、雪中山越《やまごえ》にかかるのを、名残惜しく見送ると、ちらちらと雪の降るなかを次第に高く坂道を上る聖の姿、あたかも雲に駕《が》して行くように見えたのである。

女客

一

「謹《きん》さん、お手紙」

と階子段《はしごだん》から声を掛けて、二階の六畳へ上り切らず、欄干《てすり》に白やかな手をかけて、顔を斜に覗《のぞ》きながら、背後《うしろ》向きに机に寄った当家の主人《あるじ》に、一枚を齎《もた》らした。

「憚《はばか》り」

と身を横に、蔽《おお》うた燈《あかり》を離れたので、玉《ぎょく》ほやを透かした薄あかりに、くっきり描き出された、上り口の半身は、雲の絶間の青柳《あおやぎ》見るよう、髪も容《かたち》もすっきりした中年増《ちゅうどしま》。

これはあるじの国許《くにもと》から、五ツになる男の児《こ》を伴うて、この度上京、しばらく爰《ここ》に逗留《とうりゅう》している、お民といって縁続き、一蒔絵《あるまきえ》師《し》の女房である。

階下《した》で添乳《そえぢ》をしていたらしい、色はくすんだが艶《つや》のある、藍《あい》と紺、縦縞《たてじま》の南部の袷《あわせ》、黒繻子《くろじゅす》の襟《えり》のなり、ふっくりした乳房の線、幅細く寛《くつろ》いで、昼夜帯の暗いのに、緩く纏《まと》うた、縮緬《ちりめん》の扱帯《しごき》に蒼味《あおみ》のかかったは、月の影のさしたよう。

燈火《ともしび》に対して、瞳清《ひとみすず》しゅう、鼻筋がすっと通り、口許の締った、瘠《や》せぎすな、眉《まゆ》のきりりとした風采《とりなり》に、しどけない態度《なり》も目に立たず、繕わぬのが美しい。

「これは憚り、お使い柄恐入ります」

と主人は此方《こなた》に手を伸ばすと、見得もなく、婦人《おんな》は胸を、はらんばいに成るまでに、ずッと出して差置くのを、畳をずらして受取って、火鉢の上で一寸《ちよいと》見たが、葉書の用は直ぐに済んだ。

机の上へ差置いて、

「真個《ほんと》に御苦労様でした」

「はいはい、これはまあ、御丁寧な、御挨拶《あいさつ》痛み入りますこと。お勝手から此方《こちら》まで、随分遠方でござんすからねえ」

「憚り様ね」

「些《ちつ》とも憚り様なことはありやしません。謹さん」

「何ね」

「貴下《あなた》、その（憚り様ね）を、葉書を読む、つなぎに言ってるのね、ほほほほ」

謹さんも莞爾《につこり》して、

「お話しなさい」

「難有《ありがと》う」

「さあ、此方《こちら》へ」

「はい、誠にどうも難有う存じます、いいえ、どうぞもう、どうぞ、もう」

「早速だ、おやおや」

「大分丁寧でございましょう」

「そんな皮肉を言わないで、坊やは？」

「寝ました」

「母は？」

「行火《あんか》で」と云って、肱《ひじ》を曲げた、雪なす二の腕、担《かつ》いだように寝てみせる。

「貴女《あなた》にあまえているんでしょう。どうして、元気な人ですからね、今時行火をしたり、宵《よい》の内から転寝《うたたね》をするような人じゃないの。鉄は居ませんか」

「女中さんは買物に、お汁《みおつけ》の実を仕入れるのですって。それから私がお道楽、翌日《あした》は田舎料理を達引《たてひ》こうと思って、次手《ついで》にその分も」

「じゃ階下は寂《さみ》しいや、お話しなさい」

＊

お民はそのまま、すらりと敷居へ、後手《うしろで》を弱腰に、引っかけの端をぎゅうと撫《な》で、軽く衣紋《えもん》を合わせながら、後姿の襟清く、振返って入ったあと、欄干《てすり》の前なる障子を閉めた。

「此処《ここ》が開《あ》いていちゃ寒いでしょう」

「何だかぞくぞくするようね。悪い陽気だ」

と火鉢を前へ。

「開《あけ》ッ放して置くからさ」

「でもお民さん、貴女が居るのに、其処《そこ》を閉めて置くのは気になります」

時に燈《あかり》に近う来た。瞼《まぶた》に颯《さつ》と薄紅《うすくれない》。

二

坐ると炭取を引寄せて、火箸《ひばし》を取って俯向《うつむ》いたが、

「お礼に継いで上げましょうね」

「どうぞ願います」

「まあ、人様《ひとさま》のもので、義理をするんだよ、こんな暢気《のんき》ッちゃありやしない。串戯《じょうだん》はよして、謹さん、東京《こっち》は炭が高いんですってね」

主人は大胡坐《おおあぐら》で、落着済まし、

「吝《けち》なことをお言いなさんな、お民さん、阿母《おふくろ》は行火だと言うのに、押入には葛籠《つづら》へ入って未《ま》だ蚊帳《かや》があるという騒ぎだ」

「何のそれが騒ぎなことがあるもんですか。又いつかのように、夏中蚊帳が無くってては、それこそお家は騒動ですよ」

「騒動どころか没落だ。いや、弱りましたぜ。一夏は。

何しろ家の焼けた年でしょう。あの焼あとと云うものは、どういうわけだか、恐しく蚊が酷《ひど》い。

未だその騒ぎの無い内、当地《こちら》で、本郷のね、春木町の裏長屋を借りて、夥間《なかま》と自炊をしたことがありましたっけが、その時も前の年火事があったと云って、何年にもない、大変な蚊でしたよ。けれども、それは何、少《わか》いもの同志だから、萌葱縅《もえぎおどし》の鎧《よろい》*はなくても、夜一夜《よっぴて》、戸外《おもて》を歩行《ある》いていたって、それで事は済みました。

内じゃ、年よりを抱えていましょう。夜が明けても、的《あて》はないのに、夜中一時二時までも、友達の許《とこ》へ、苦《くる》しい時の相談の手紙なんか書きながら、わきで寝返りをなさるから、阿母《おふくろ》さん、蚊が居ますかって聞くんです。

自分の手にゃ五ツ六ツたかっているのに」

主人は火鉢にかざしながら、

「居ますかもないもんだ。

ああ、些《ちっ》と居るようだの、と何でもないように、言われるんだけれども、何故《なぜ》阿母には居るだろうと、口惜《くやし》いくらいでね。今に工面して遣《や》るから可《い》い、蚊の畜生覚えていろ、と無念骨髄でしたよ。未だそれよりか、毒虫のぶんぶん矢を射るような烈《はげし》い中に、疲れて、すやすや、……傍《わき》に私の居るのが嬉しそうに、快よさそうに眠られる時は、猶堪《なおたま》らなくって泣きました」

聞く方が歎息《たんそく》して、

「だってねえ、よくそれで無事でしたね」

顔見られたのが不思議なほどの、懐《なつか》しそうな言《ことば》であった。

「まさか、蚊に喰殺《くいころ》されたという話もない。そんな事より、恐るべきは兵糧《ひょうろう》でしたな」

「そうだってねえ、今じゃ笑いばなしになったけれど」

「余りそうでもありません。しかしまあ、お庇様《かげさま》、どうにか蚊帳もありますから」

「ほんとに、どんなに辛《つら》かったろう、謹さん、貴下《あなた》」と優しい顔。

「何、私より阿母《おふくろ》ですよ」

「伯母さんにも聞きました。伯母さんは又自分の身がかせになって、貴下が肩が抜けないし、そうかといって、修業中で、どう工面の成ろうわけはないのに、一ツ売り二ツ売り、一日だてに、段々煙は細くなるし、もう二人が消えるばかりだから、世間体さえ構わないなら、身体《からだ》一ツないものにして、貴下を自由にしてあげたい、と初中《しょっちゅう》そう思っていらしったってね。お互に今聞いても、身ぶるいが出るじゃありませんか」

と顔を上げて目を合わせる、両人の手は左右から、思わず火鉢を圧《おさ》えたのである。

「私は又私で、何です、なまじ薄髯《うすひげ》の生えた意気地のない兄哥《あにき》がついているから起《た》って、相応にどうにか遣繰《やりく》って行かれるだろう、と思うから、食物《くいもの》の足りぬ阿母を、世間でも黙って見ている。一層《いっそ》忰《せがれ》がないものと極《きま》ったら、たよる処《ところ》も何にもない、六十を越した人を、まさか見殺しにはしないだろう。

やっ了《ちま》おうかと、日に幾度考えたかね。

民さんも知っていましょう、あの年は、城の濠《ほり》で、大層投身者《みなげ》がありました」

同一年《おないどし》の、あいやけ*は、姉さんのような頷《うなず》き方。

「ああ」

三

「確か六七人もあったでしょう」

お民は聞いて、火鉢のふちに、算盤《そろばん》を弾《はじ》くように、指を反《そ》らして、

「謹さん、もっとですよ。八月十日の新聞までに、八人だったわ」

と仰いで目を細うして言った。幼い時から、記憶の鋭い婦人《おんな》である。

「じゃ、九人になるところだった。貴女の内へ遊びに行くと、何時《いつ》も帰りが遅くなって、日が暮れちゃ、あの濠端《ほりばた》を通ったんですがね、石垣が蒼く光って、真黒な水の上から、むらむらと白い煙が此方《こちら》に這《は》いかかって来るように見えるじゃありませんか。引込まれては大変だと、早足に歩《ある》行き出すと、何だかうしろから追い駈けるようだから、一心に遁《に》げ出してさ、坂の上で振返ると、凄《すご》いような月で。

ああ、春の末でした。

あとについて来たものは、自分の影法師ばかりなんです。

自分の影を、死神と間違えるんだもの、御覧なさい、生きている瀬はなかったんですよ」

「心細いじゃありませんか、ねえ」

と寂《さみ》しそうに打傾く、面に映って、頸《うなじ》をかけ、黒繻子の襟に障子の影、薄ら蒼く見えるまで、戸外《おもて》は月の冴《さ》えたる気勢《けはい》。カラカラと小刻《こきざみ》に、女の通る下駄の音。屋敷町に響いたが、女中は未だ帰って来ない。

「心細いのが通り越して、気が変になっていたんです。

じゃ、そんな、気味の悪い、物凄い、死神のさそうような、厭《いや》な濠端を、何の、お民《しま》さん、通らずともの事だけれど、何故《なぜ》か又、故《わざ》ともに、其処《そこ》を歩行《ある》いて、行過ぎて了《しま》ってから、未だ死なないでいるって事を、自分で確めて見たくてならんのでしたよ。危険千万《けんのん》。

だって、今だから話すんだけれど、その蚊帳なしで、蚊が居るッていう始末でしょう。無いものは活計《たっき》の代《しろ》という訳で。

内で熟《じっ》としていたんじゃ、たとい曳《ひ》くにしろ、車も曳けない理窟《りくつ》ですから、何がなし、戸外《おもて》へ出て、足駄履きで駈け歩行《ある》くしだらだけれど、さて出ようとすると、気になるから、上《あが》り框《がまち》へ腰をかけて、片足履物をぶら下げながら、母《おっか》さん、お米は？　ッて聞くんです」

「お米は？　ッてね、謹さん」

と、お民はほろりとしたのである。あるじは敢《あえ》て莞爾《にこ》やかに、

「恐しいもんだ、その癖両《りょう》に何升どこは、この節却って覚えました。その頃は、真個《まったく》です、無い事は無いにしろ、幾許《いくら》するか知らなかった。

皆《みんな》、親のお庇《かげ》だね。

その阿母《おふくろ》が、そうやって、お米は？　ッて尋ねると、晩まであるよ、とお言いなさ

る。

翌日《あす》のが無いと言われるより、どんなに辛かったか知れません。お民さん」

と呼びかけて、固《もと》より答を待つにあらず。

「もう、その度にね、私はね、腰かけた足も、足駄の上で、何だって、こう脊《せい》が高いだろう、と土間へ、へたへたと坐りたかった」

「まあ、貴下《あなた》、大抵じゃなかったのねえ」

フトその時、火鉢のふちで指が触れた。右の腕《かいな》はつけ許《もと》まで、二人は、はっと熱かったが、思わず言い合わせたかの如《ごと》く、鉄瓶《てつびん》に当ってみた。左の手は、ひやりとした。

「謹さん、沸しましょうかね」と軽くいう。

「すっかり忘れていた、お庇さまで火もよく起ったのに」

「お湯があるかしら」

と引っ立てて、蓋を取って、燈《あかり》の方に傾けながら、

「貴下。一寸《ちょいと》、その水差を。お道具は揃《そろ》ったけれど、何だかこの二階の工合が下宿のようじゃありませんか」

四

「それでもね」

とあるじは若々しいものいいで、

「お民さんが来てから、何となく勝手が違って、一寸余処《よそ》から帰って来ても何だか自分の内のようじゃないんですよ」

「あら」

とて清《すず》しい目を瞬《みは》り、鉄瓶の下に両手を揃えて、真直に当りながら、

「そんな事を言うもんじゃありません。外へといっては、それこそ田舎の芝居一つ、めったに見に出た事もないのに、はるばる一人旅で逢いに来たんじゃありませんか。酷《ひど》いよ、謹さんは」

と美しく打怨《うちえん》ずる。

「飛んだ事を、ははは」

とあるじも火に翳《かざ》して、

「そんな気でいった、内らしくないではない、その下宿屋らしくないと言ったんですよ」

「ですからね、早くおもらいなさいまし、悪いことはいいません。どんなに気がついても、しんせつでも、女中じゃ推切《おしき》って、何かすることが出来ませんからね、どうしても手が届かないがちになるんです。伯母さんも、もう今じゃ、蚊帳よりお嫁が欲《ほし》いんですよ」

あるじは、屹《きっ》と頭《かぶり》を掉《ふ》った。

「否《いえ》、よします」

「何為《なぜ》ですね、謹さん」と見上げた目に、敢て疑《うたがい》の色はなく、別に心あって映ったのであった。

「何故《なぜ》という と議論になります、唯《ただ》ね、私は欲くないんです。

こういえば、理窟もつけよう、又どうこうというけれどね、年よりのためにも他人の交らない方が気楽で可《い》いかも知れません。お民さん、貴女《あなた》がこうやって遊びに来てくれたって、知らない婦人《おんな》が居ようより、阿母と私ばかりの方が御馳走《ごちそう》は、届かないにしたところで、水入らずで、気が置けなくって可いじゃありませんか」

「だって、謹さん、私がこうしていたいために、一生貴下《あなた》、奥さんを持たないでいられますか。それも、五年と十年と、このままでいたいたって、此方《こちら》に居られます身体じゃなし、もう二週間の上になったって、五日目ぐらいから、やいやい帰れって、言って来て、三度めに来た手紙なんぞの様子じゃ、良夫《やど》の方の親類が、ああの、こうのって、面倒だから、それにつけても早々帰れじゃありませんか。また貴下を置いて、他《ほか》に私の身についた縁者といってはないんですからね。どうせ帰れば近所近辺、一門一類が寄って集《たか》って」

と婀娜《あだ》に唇の端を上げると、顰《ひそ》めた眉《まゆ》を掠《かす》めて落ちた、鬢《びん》の毛を、焦《じれ》ったそうに、背《うしろ》へ投げて掻上《かきあ》げつつ、

「この髪を挘《むし》りたくなるような思いをさせられるに極ってるけれど、東京へ来たら、生意気らしい、気が大きくなった上、二寸切られるつもりになって、度胸を極《き》めて、伯母さんには内証ですがね、これでも自分で呆《あき》れるほど、料簡《りようけん》が据《すわ》っていますけれど、だってそうは御厄介になってもいられませんもの」

「何時《いつ》までも居て下さいよ。もう、私は、女房なんぞ持とうより、貴女に遊んでいて貰《もら》う方が、どんなに可いか知れやしない」

と我儘《わがまま》らしく熱心に言った。

お民は言《ことば》を途切らしつ。鉄瓶はやや音《ね》に出《い》ずる。

「謹さん」

「ええ」

お民は唾をのみ、

「真個《ほんとう》ですか」

「真個ですとも、真個《まったく》ですよ」

「真個に、謹さん」

「お民さんは、嘘《うそ》だと思って」

「じゃもう、一層《いっそ》」

と烈しく火箸《ひばし》を灰について、

「帰らないで置きましょうか」

五

我を忘れてお民は一気に、思い切っていいかけた、言《ことば》の下に、あわれ水ならぬ灰にさえ、かず書く*よりもはかなげに、悄乎《しょんぼり》肩を落したが、急に寂《さみ》しい笑顔を上げた。

「ほほほほほ、その気で沢山《たんと》御馳走をして下さいまし。お茶ばかりじゃ私は厭《いや》」

といううち涙さしぐみぬ。

「謹さん」

というも曇り声に、

「も、貴下《あなた》、どうして、そんなに、優しくいって下さるんですよ、こうした私じゃありませんか」

「貴女《あなた》でなくッて、お民さん、貴女は大恩人なんだもの」

「ええ？　恩人ですって、私が」

「貴女が」

「まあ！　誰方《どなた》のねえ？」

「私のですとも」

「どうして、謹さん、私はこんなぞんざいだし、もう十七の年に、何にも知らないで児持《こもち》になったんですもの、碌《ろく》に小袖《こそで》一つ仕立《した》って上げた事はなく、貴下が一生の大切《だいじ》だって、そのお米のなかった時も、煙草《たばこ》も買ってあげないでさ。

　後で聞いて口惜くって、今でも怨《うら》んでいるけれど、内証の苦しい事ったら、些《ちっ》とも伯母さんは聞かして下さらないし、あなたの御容子《ごようす》でも分りそうなものだったのに、私が気がつかないからでしょうけれど、何時お目にかかっても、元気よく、いきいきしてねえ、真個《まったく》ですよ、今なんぞより、窶《やつ》れてないで、もっと顔色も可《よ》かったもの……」

「それです、それですよ、お民さん。その顔色の可かったのも、元気よく活々《いきいき》していたのだって、貴女、貴女の傍に居る時の他に、そうした事を見た事はありますまい。私はもう、影法師が死神に見えた時でも、貴女に逢《あ》えば、元気が出て、心が活々したんです。それだから貴女はついぞ、ふさいだ、陰気な、私の屈託顔を見た事はないんです。

ねえ。

先刻《さつき》もいう通り、私の死んで了《しま》った方が阿母《おふくろ》のために都合よく、人が世話をしようと思ったほどで、又それに違いはなかったんですもの。

実際私は、貴女のために活きていたんだ。

そして、お民さん」

あるじが落着いて静にいうのを、お民は激しく聞くのであろう、潔白なるその顔《かんばせ》に、湧上《わきのぼ》る如き血汐《ちしお》の色。

「切羽詰《せつぱつま》って、いざ、と首の座に押直る時には、たとい場処《ところ》が離れていても、きっと貴女の姿が来て、私を助けてくれるッて事を、堅くね、心の底に、確に信仰していたんだね。

まあ、お民さん許《とこ》で夜更《よふか》しして、じゃ、おやすみってお宅を出る。遅い時は寝衣《ねまき》のなりで、寒いのも厭《いと》わないで、貴女が自分で送って下さる。

門《かど》を出ると、あの曲角あたりまで、貴女、その寝衣のままで、暗《やみ》の中まで見送ってくれたでしょう。小児《こども》が奥で泣いてる時でも、雨が降っている時でも、ずッと背中まで外へ出して。

私は又、曲り角で、きっと、窃《そっ》と立停まって、しばらく経《た》って、カタリと枢《くるる》のおりるのを聞いたんです。

その、帰り途《みち》に、濠端《ほりばた》を通るんです。枢は下りて、貴女の寝た事は知りながら、今にも濠へ、飛込もうとして、この片足が崖《がけ》をはずれる、背後《うしろ》を確乎《しっかり》と引留めて、何をするの、謹さん、と貴女がきっというと確に思った。

ですから、死のうと思い、助かりたい、と考えながら、そんな、厭《いや》な、恐ろしい濠端を通ったのも、枢をおろして寝なすった、貴女が必ず助けてくれると、それを力にしたんです。お庇《かげ》で活きていたんですもの。恩人でなくッてさ、貴女は命の親なんですよ」

と唯懐しげに嬉しそうにいう顔を、熟《じっ》と見る見る、ものをもいわず、お民ははらはらと、薄曇る燈《ともしび》の前に落涙した。

「お民さん」

「謹さん」

とばかり歯をカチリと、堰《せ》きあえぬ涙を噛《か》み留めつつ、

「口についていうようでおかしいんですが、私もやっぱり。貴下《あなた》は、もう、今じゃこんなにおなりですから、私は要らなくなったでしょうが、私は今も、今だって、その時分から、何ですよ、同《おんな》じなんです、謹さん。欲にも、我慢にも、厭で厭で、厭で厭で、死にたくなる時がありますとね、そうすると、貴下が来て、お留めなさると思ってね、それを便りにしていますよ。

まあ、同じようで不思議だから、これから別れて帰りましたら、私も又、月夜におを歩行《ある》きましょう。そして貴下、謹さんのお姿が、其処《そこ》へ出るのを見ましょうよ」

と差俯向《さしうつむ》いた肩が震えた。

あるじは、思わず、火鉢なりに擦《す》り寄って、

「飛んだ事を、串戯《じょうだん》じゃありません、そ、そ、そんな事をいって、譲《ゆずる》（小児の名）さんをどうします」

「だって、だって、貴下が、その年、その思いをしているのに、私はあの児を拵《こしら》えました。そんな、そんな児を構うものか」

とすねたように鋭くいったが、露を湛《たた》えた花片《はなびら》を、湯気やなぶると、笑《えみ》を湛え、

「ようござんすよ、私はお濠を楽みにしますから。でも、こんなじゃ、私の影じゃ、凄《すご》い死神なら可いけれど、大方鼬《いたち》にでも見えるでしょう」

と投げたように、片身《かたみ》を畳に、褄《つま》も乱れて崩折れた。

あるじは、ひたと寄せて、押えるように、棄てた女の手を取って、

「お民さん」

「…………」

「国へ、国へ帰しゃしないから」

「あれ、お待ちなさい伯母さんが」

「どうした、どうしたよ」

という母の声、下に聞えて、わっとばかり、その譲という児が。

「煩《うるさ》いねえ！　一寸、見て来ますからね、謹さん」

とはらりと立って、脛白《はぎ》き、敷居際《ぎわ》の立姿。やがてトントンと階下へ下りたが、泣き留《や》まぬ譲を横抱きに、しばらくして品のいい、母親の優しい形《なり》で座に返った。燈火の陰に胸の色、雪の如《ごと》く清らかに、譲はちゅうちゅうと乳を吸って、片手で縋《すが》って泣いじゃくる。

あるじは、きちんと坐り直って、

「どうしたの、酷《ひど》く怯《おび》えたようだっけ」

「夢を見たかい、坊や、どうしたのだねえ」

と頰に顔をかさぬれば、乳を含みつつ、愛らしい、大きな目をくるくるとやって、

「鼬が、阿母《おっか》さん」

「ええ」

二人は顔を見合わせた。

あるじは、居寄って顔を覗《のぞ》き、故《ことさ》らに打笑い、

「何、内へ鼬なんぞ出るものか。坊や、鼠の音を聞いたんだろう」

小児《こども》はなお含んだまま、いたいけに捻《ねじ》向いて、

「ううむ、内じゃないの。お濠ン許《とこ》で、長い尻尾《しっぽ》で、あの、目が光って、私《わたい》、私を睨《にら》んで恐《こわ》かったの」

と、くるりと向いて、ぴったり母親のその柔かな胸に額を埋《うず》めた。

又顔を見合わせたが、今はその色も変らなかった。

「おお、そうかい、夢なんですよ」

「恐かったな、恐かったな、坊や」

「恐かったね」

からからと格子《こうし》が開いて、

「どうも、おそなはりました」と、勝手でいって、女中が帰る。

「さあ、御馳走だよ」

と衝《つ》と立ったが、早急だったのと、抱いた重量《おもみ》で、裳《もすそ》を前に、よろよろと、お民は、よろけながら段階子《だんばしご》。

「謹さん」

「…………」

「翌日《あした》のお米は？」

と艶麗《あでやか》に莞爾《にっこり》して、

「早く、奥さんを持って下さいよ。ああ、女中さん御苦労でした」

と下を向いて高く言った。

その時襖《ふすま》の開く音がして、

「おそなわりました、御新造様《ごしんぞ》」

お民は答えず、ほと吐息。円髷《まげ》艶《つや》やかに二三段、片頬《かたほ》を見せて、差覗《さしのぞ》いて、

「此処《ここ》は閉めないで行きますよ」

国貞えがく

一

柳を植えた……その柳の一処繁《ひとところしげ》った中に、清水《しみず》の湧《わ》く井戸がある。……大通り四ツ角の郵便局で、東京から組んで寄越した若干金《なにがし》の為替《かわせ》を請取って、三ツ巻《く》に包るんで、ト先《ま》ず懐中に及ぶ。

春は過ぎても、初夏《はつなつ》の日の長い、五月中旬《なかば》、午頃《ひるごろ》の郵便局は閑《ひま》なもの。受附にもどの口にも他に立集《たちつど》う人は一人もなかった。が、為替は直ぐ手取《てっとり》早くは受取れなかった。

取扱いが如何《いか》にも気長で、

「金額は何ほどですか。差出人は誰でありますか。貴下《あなた》が御当人なのですか」

などと間伸びのした、然《しか》も際立《きわだ》って耳につく東京の調子で行《や》る、……その本人は、受取口から見たところ、二十四五の青年で、羽織は着ずに、小倉の袴《はかま》で、久留米《くるめ》らしい絣《かすり》の袷《あわせ》、白い襯衣《シャツ》を手首で留めた、肥《ふと》った腕の、肩の辺《あたり》まで捲手《まくりで》で何とも以《もっ》て忙しそうな、その癖、する事はさっぱり捗《はかど》らぬ。態《なり》に似合わず悠然《ゆうぜん》と落着済まして、聊《いささ》か権高《けんだか》に見えるところは、土地の士族の子孫らしい。で、その尻上《しりあが》りの「ですか」を饒舌《しゃべ》って、時々じろじろと下目に見越すのが、田舎漢《いなかもの》だと侮《あなど》るなと謂《い》う態度の、それが明らかに窓から見え透く、郵便局員貴下、御心安かれ、受取人の立田織次も、同国《おなじくに》の平民である。

さて、局の石段を下りると、広々とした四辻《よつつじ》に立った。

「さあ、何処《どこ》へ行こう」

何処へでも勝手に行くが可《よし》、又何処へも行かないでも可い。このまま、今度の帰省中転がってる従姉《いとこ》の家へ帰っても可いが、其処《そこ》は今しがた出て来たばかり。すぐに取って返せば、忘れ物でもしたように思うであろう。……先祖代々の墓詣《はかまいり》は昨日《きのう》済まし、久しぶりで見たかった公園もその帰りに廻る。約束の会は明日だし、好《すき》なものは晩に食べさせる、と従姉が言った。差当り何の用もない。何年にも幾日《いつか》にも、こんな暢気《のんき》な事は覚えぬ。おんぶするならしてくれ、で、些《ち》と他愛がないほど、のびのびとした心地。

気候は、と言うと、ほかほかが通り越した、これで赫《かっ》と日が当ると、日中は早じりじりと来そうな頃が、近山曇りに薄《うっす》りと雲が懸《かか》って、真綿を日光で干すような、ふっくりと軽い暖かさ。午頃の蔭《かげ》もささぬ柳の葉に、ふわふわと柔い風が懸る。……その柳の下を、駈《か》けて通る腕車《くるま》も見えず、人通りはちらほらと、都で言えば朧夜《おぼろよ》を浮れ出したような状《さま》だけれども、この土地ではこれでも賑《にぎやか》な町の分。城跡のあたり中空で鳶《とんび》が鳴く、と丁ど今が春《しゅん》の鰯《いわし》を焼く匂《におい》がする。

飯を食べに行っても可、一寸珈琲《ちょいとコーヒー》に菓子でも可、何処か茶店で茶を飲むでも可、別にそれにも及ばぬ。が、袷に羽織で身は軽《かろ》し、駒下駄は新しし、為替は取ったし、まま、若干金《なにがし》か貸しても可《よし》い。

「いや、串戯《じょうだん》は止《よ》して……」

そうだ！　小北《おぎた》の許《とこ》へ行かねば成らぬ——と思うと、のびのびした手足が、きりりと緊《しま》って、身体《からだ》が帽子まで堅くなった。

何故《なぜ》か四辺《あたり》が視《なが》められる。

こう、小北と姓を言うと、学生で、故郷の旧友のようであるが、そうではない、これは平吉……平さんと言うが早解り。織次の亡《な》き親父《おやじ》と同じ夥間《なかま》の職人である。

此処《ここ》からはもう近い。この柳の通筋《とおりすじ》を突当りに、真蒼《まっさお》な山がある。それへ向って二町ばかり、城の大手を右に見て、左へ折れた、屋並の揃《そろ》った町の中ほどに、きちんと暮している筈《はず》。

その男を訪ねるに仔細《しさい》はないが、訪ねて行くのに、十年越の思出がある、……まあ、もう少し秘して置こう。

さあ、其処へ、と成ると、早や背後《うしろ》から追立てられるように、そわそわするのを、なりたけ自分で落着いて、悠々と歩行《ある》き出したが、取って三十と云う年紀《とし》の、渠《かれ》の胸の騒ぎよう。さては今の時の暢気さは、この波が立とうとする用意に、フイと静まった海らしい。

二

この通は、渠が生れた町とは大分間が離れているから、軒を並べた両側の家に、別に知己《ちかづき》の顔も見えぬ。それでも何かにつけて思出す事はあった。通の中ほどに、一軒料理屋を兼ねた旅店がある。其処へ東京から新任の県知事が乗込《のりこむ》とあるに就いて、向った玄関に段々《だんだら》の幕を打ち、水桶《みずおけ》に真新しい柄杓《ひしやく》を備えて、恭《うやうや》しく盛砂《もりずな》して、門から新筵《あらむしろ》を敷詰めてあるのを、向側の軒下に立って視《なが》めた事がある。通り懸りのお百姓は、この前を過ぎるのに、

「ああっ」と云って腰をのめらして行った。……御威勢のほどは、後年地方官会議の節に上京なされると、電話第何番と云うのが見得《みえ》の旅館へ宿って、葱《ねぎ》の嘢《おくび》で、東京の町へ出らるる御身分とは夢にも思われない。

また夢のようだけれども、今見れば麺麭《パン》屋《や》に成った、丁どその硝子窓《ガラスまど》のあるあたり

へ、幕を絞って——暑くなると夜店の中へ、見世ものの小屋が掛った。猿芝居、大蛇、熊、盲目《めくら》の墨塗——（この土俵は星の下に暗かったが）——西洋手品など、一廓《ひとくるわ》に、蕺草《どくだみ》の花を咲かせた——表通りへ目に立って、蜘蛛《くも》の見世物があった事を思出す。

額の出た、頭の太い、鼻のしゃくんだ、黄色い顔が、その長さ、大人の二倍、やがて一尺、飯櫃《いびつなり》形の天窓《あたま》にチョン髷《まげ》を載せた、身の丈《たけ》と云うほどのものはない。頤《あご》から爪先《つまさき》の生えたのが、金ぴかの上下《かみしも》を着たところは、アイ来た、と手品師が箱の中から拇指《おやゆび》で摘《つま》み出しそうな中親仁《ちゅうおやじ》。これが看板で、小屋の正面に、鼠の嫁入に担《かつ》ぎそうな小《ちい》さな駕籠《かご》の中に、くたりと成って、ふんふんと鼻息を荒くする毎《ごと》に、その出額《おでこ》に蚯蚓《みみず》のような横筋を畝《うね》らせながら、きょろきょろと、込合う群集を視めて控える……口《こう》上言《じょういい》がその出番に、

「太夫《たゆう》いの、太夫いの」と呼ぶと、駕籠の中で、しゃっきりと天窓《あたま》を掉立《ふりた》て、

「唯今《ただいま》、それへ」

とひねこびれた声を出し、頤をしゃくって衣紋《えもん》を造る。その身動きに、鼬《いたち》の香《におい》を芬《ぷん》とさせて、ひょこひょこと行く足取が、蜘蛛の巣を渡るようで、大天窓《おおあたま》の頸窪《ぼんのくぼ》に、附《つけ》木《ぎ》ほどな腰板が、ちょこなんと見えたのを憶起《おもいおこ》す。

それが舞台へ懸る途端に、ふわふわと幕を落す。その時木戸に立った多勢の方を見

向いて、

「うふん」と云って、目を剝《む》いて、脳天から振下《ぶらさが》ったような、紅い舌をぺろりと出したのを見て、織次は悚然《ぞっ》として、雲の蒸す月の下を家《うち》へ逃げ帰った事がある。

人間ではあるまい。鳥か、獣か、それともやっぱり土蜘蛛の類《たぐい》かと、尋ねると、

……その頃六十ばかりだった織次の祖母さんが、

「あれはの、二股坂《ふたまたざか》の庄屋《しょうや》殿じゃ」といった。

この二股坂と云うのは、山奥で、可怪《あやし》い伝説が少くない。それを越すと隣国への近路《ちかみち》ながら、人界と境を隔つ、自然のお関所のように土地の人は思うのである。

この辺《あたり》からは、峰の松に遮《さえぎ》られるから、その姿は見えぬ。もっと乾《いぬい》の位置で、町端の方へ退《さが》ると、近山の背後《うしろ》に海がありそうな雲を隔てて、山の形が歴然《ありあり》と見える。

……

汽車が通じてから、はじめて帰ったので、停車場《ステイション》を出た所の、故郷《ふるさと》は、と一目見ると、石を置いた屋根より、赤く塗った柱より、先ずその山を見て、暫時茫然《しばらくぼうぜん》として彳《たたず》んだのは、つい二三日前の事であった。

腕車《くるま》を雇って、さして行く従姉の町より、真先に、

「あの山は？」

「二股じゃ」と車夫《くるまや》が答えた。――織次は、この国に育ったが、用のない町端まで、小児《こども》の時には行かなかったので、唯名に聞いた、五月《さつき》晴れの空も、暗い、その山。

三

その時は何の心もなく、件《くだん》の二股を仰いだが、此処《ここ》に来て、昔の小屋の前を通ると、あの、蜘蛛大名が庄屋をすると、可怪《あやし》く胸に響くのであった。

まだ、その蜘蛛大名の一座に、胴の太い、脚の短い、芋虫が髪を結って、緋《ひ》の腰布を捲《ま》いたような侏儒《いつすんぼし》の婦《おんな》が、三人ばかり居た。それが、見世ものの踊を済まして、寝しなに町の湯へ入る時は、風呂の縁へ両手を掛けて、横に両脚でドブンと浸る。そうして湯の中でぶくぶくと泳ぐと聞いた。

そう言えば湯屋はまだある。けれども、以前見覚えた、両眼真黄色な絵具の光る、巨大な蜈蚣《むかで》が、赤黒い雲の如《ごと》く渦を巻いた真中に、俵藤太《たわらとうた》*が、弓矢を挟《はさ》んで身構えた暖簾《のれん》が、ただ、男、女と上へ割った、柳湯、と白抜きのに懸替《かけかわ》って、門《かど》の目印の柳と共に、枝垂《しだ》れたように成って、折から森閑と風もない。

人通りも殆《ほとん》ど途絶えた。

が、何処となく、柳に暗い、湯屋の硝子戸の奥深く、ドブンドブンと、不図《ふと》湯の煽《あお》ったような響が聞える……

立淀《たちよど》んだ織次の耳には、それが二股から遠く伝わる、ものの谺《こだま》のように聞えた。織次の祖母《おばば》は、見世物のその侏儒《いつすんぼし》の婦《おんな》を教えて、

「あの娘《こ》たちはの、蜘蛛庄屋にかどわかされて、その処に成《こしもと》ったいの」

と昔語に話して聞かせた所為《せい》であろう。ああ、薄曇の空低く、見通しの町は浮上ったように見る目に浅いが、故郷《ふるさと》の山は深い。

又山と言えば思出す、この町の賑かな店々の赫《かつ》と明《あか》い果を、縦筋に暗く劃《くぎ》った一条《ひとすじ》の路を隔てて、数百の燈火の織目から抜出したような薄茫乎《うすぼんやり》として灰色の隈《くま》が暗夜《やみ》に漾《ただよ》う、まばらな人立《ひとだち》を前に控えて、大手前の土塀《どべい》の隅に、足代板《あじろいた》の高座に乗った、さいもん語りのデロレン坊主、＊但《ただ》し長い頭髪《かみのけ》を額に振分け、ごろごろと錫《しやく》を鳴らしつつ、塩辛声《しおからごえ》して、

「……姫松どのはエ」と大宅太郎《おおやの》光国の恋女房が、滝夜叉姫《たきやしやひめ》＊の山寨《さんさい》に捕えられて、小賊どもの手に松葉燻《いぶし》となるところ——樹の枝へ釣上げられ、後手の肱《ひじ》を空に、反返《そりかえ》る髪を倒《さかさ》に落して、ヒイヒイと咽《むせ》んで泣く。やがて夫の光国が来合わせて助けると云うのが、明晩、とあったが、翌晩《あくる》もそのままで、次第に姫松の声が渇《か》れる。

「我が夫《つま》いのう、光国どの、助けて給《た》べ」とばかりで、この武者修業の、足の遅さ。

三晩目に、漸《やっ》とこさと山の麓《ふもと》へ着いたばかり。

織次は、小児心《こどもごころ》にも朝から気に成って、蚊帳《かや》の中でも髣髴《ほうふつ》と蚊燻しの煙が来るから、続けてその翌晩も聞きに行って、汚《きたな》い弟子が古浴衣《ゆかた》の膝《ひざ》きりな奴を、胸の処でだらりとした拳固《げんこ》の矢蔵、片手をぬい、と出し、人の顋《あご》をしゃくうような手つきで、銭を強《ね》請《だ》る、爪の黒い掌《てのひら》へ持っていただけの小遣《こづかい》を載せると、目を睜《みは》ったが、黄色い歯でニヤリとして、身体を撫《な》でようとしたので、衝《つ》と極《きまり》が悪く退《さが》った頸《うなじ》へ、大粒な雨がポツリと来た。

忽《たちま》ち大驟雨《おおゆだち》と成ったので、蒼《あお》く成って駈出して帰ったが、家までは七八町、その、びしょ濡《ぬれ》さ加減想うべしで。

あと二夜ばかりは、空模様を見て親たちが出さなかった。

さて晴れれば晴れるものかな。磨出《みがきだ》した良い月夜に、駒《こま》の手綱を切放されたように飛出して行った時は、もうデロレンの高座は、消えたか、と跡もなく、後幕一重引いた、あたりの土塀の破目《われめ》へ、白々と月が射《さ》した。

茫《ぼっ》と成って、辻に立って、前夜の雨を怨《うら》めしく、空を仰ぐ、と皎々《こうこう》として澄渡って、銀河一帯、近い山の端《は》から玉の橋を町家《まちや》の屋根へ投げ懸ける。その上へ、真白な形で、瑠璃色《るりいろ》の透くのに薄い黄金《きん》の輪廓した、さげ結びの帯の見える、うしろ向で、雲のような女の姿が、すっと立って、するすると月の前を歩行いて消えた。……織次は、かつ思いかつ歩行いて、丁どその辻へ来た。

四

湯屋は郵便局の方へ背後《うしろ》に成った。

辻の、この辺《あたり》で、月の中空に雲を渡る婦《おんな》の幻を見たと思う、屋根の上から、城の大手の森をかけて、一面にどんよりと曇った中に、一筋真白な雲の靡《なび》くのは、やがて銀河に成る時節も近い。……視《なが》むれば、幼い時のその光景《ありさま》を目前《まのあたり》に見るようでもあるし、又夢らしくもあれば、前世が兎《うさぎ》であった時、木賊《とくさ》の中から、ひょいと覗《のぞ》いた景色かも分らぬ。待て、希《ねが》わくば兎でありたい。二股坂《ふたまたざか》の狸《たぬき》は恐れる。

いや、こうも、他愛のない事を考えるのも、思出すのも、小北《おぎた》の許《とこ》へ行くに就けて、人は知らず、自分で気が咎《とが》める己《おの》が心を、我とさあらぬ方《かた》へ紛らそうとしたのであった。

さて、この辻から、以前織次の家のあった、某《なにがし》……町の方へ、大手筋を真直に折れて、一丁ばかり行った処に、小北の家がある。

両側に軒の並んだ町ながら、この小北の向側だけ、一軒づもりポカリと抜けた、一町内の用心水の水溜《みずだめ》で、石畳は強勢《ごうせい》でも、緑青色《ろくしよう》の大溝《おおみぞ》に成っている。向うの溝から鰌《どじよう》にょろり、此方《こちら》の溝から鰌にょろり、と饒舌《しやべ》るのは、蓋《けだ》しこの水溜からはじまった事であろう、と夏の夜店への行帰りに、織次は独《ひとり》でそう考えたもので。同一《おなじ》早饒舌《しやべり》の中に、茶釜雨合羽《ちやがまあまがつぱ》と言うのがある。トあたかもこの溝の左角が、合羽屋、は面白い。……まだこの時も、渋紙の暖簾《のれん》が懸った。

折から人通りが二三人――中の一人が、彼の前を行過ぎて、フト見返って、又ひょいひょいと尻軽《しりがる》に歩行《ある》き出した時、織次は帽子の庇《ひさし》を下げたが、瞳《ひとみ》を屹《きつ》と、溝の前から、件《くだん》の小北の店を透かした。

此処《ここ》に又立留って、少時猶予《しばらくためら》っていたのである。

木格子《きごうし》の中に硝子戸を入れた店の、仕事の道具は見え透いたが、弟子の前垂《まえだれ》も見えず、主人《あるじ》の平吉が半纏《はんてん》も見えぬ。

羽織の袖口《そでぐち》両方が、胸にぐいと上るように両腕を組むと、身体に勢を入れて、つかつかと足を運んだ。

軒から直ぐに土間へ入って、横向きに店の戸を開けながら、

「御免なさいよ」

「はいはい」

と軽い返事で、身軽にちょこちょこと茶の間から出た婦《おんな》は、下膨《しもぶく》れの色白で、真中から鬢《びん》を分けた濃い毛の束ね髪、些《ち》と煤《すす》びたが、人形だちの古風の顔。満更の容色《きりよう》ではないが、紺の筒袖《つつそで》の上被《うわつぱり》を、浅黄の紐《ひも》で胸高《むなだか》に一寸《ちよいと》留めた甲斐々々《かいがいい》しい女房ぶり。些と気になるのは、この家あたりの暮向《くらしむき》では、これがつい通りの風俗で、誰も怪しみはしないけれども、畳の上を尻端折《しりばしより》。前垂で膝を隠したばかりで、湯具《ゆのぐ》をそのままの足を、茶の間と店の敷居で留めて、立身《たちみ》のなりで口早なものの言いよう。

「何処からおいで遊ばしたえ、何の御用で」

と一向気のない、空で覚えたような口上。言《こと》つきは、慇懃《いんぎん》ながら、取附《とつ》き端《は》のない会釈《えしやく》をする。

「私だ、立田だよ、しばらく」

もう忘れたか、覚《おぼえ》があろう、と顔を向ける、と黒目勝でも勢のない、塗ったような瞳を流して、凝《じ》っと見たが、

「あれ」と言いさま、ぐったりと膝を支《つ》いた。胸を衝《つ》と反《そ》らしながら、驚いた風をして、

「どうして貴下《あなた》」

とひょいと立つと、端折った太脛《ふくらはぎ》の包ましい見得ものう、ト身を返して、背後《うしろ》を見

せて、つかつかと摺足《すりあし》して、奥の方へ駈込《かけこ》みながら、

「もしえ！　もしえ！　一寸……立田様の織さんが」

「何、立田さんの」

「織さんですがね」

「や、それは」

と云う平吉の声が台所で。がたがた、土間を踏む下駄の音。

五

「さあ、お上り遊ばして、まあ、どうして貴下」

と又店口へ取って返して、女房は立迎える。

「じゃ、御免なさい」

「どうぞ此方《こちら》へ」と、大きな声を出して、満面の笑顔《えがお》を見せた平吉は、茶の室《ま》を越した見通しの奥へ、台所から駈込んで、幅の広い前垂で、濡れた手をぐいと拭《ふ》きつつ、

「ずずと、ずずとずずと此方へ」ともう真中へ座蒲団を持出して、床の間の方へ直しながら、一ツくるりと立身で廻る。

「構っちゃ可厭《いや》だよ」と衝《つ》と茶の間を抜ける時、襖《ふすま》二間の上を渡って、二階の階子段《はしごだん》

が緩く架《かか》る、拭込《ふきこ》んだ大戸棚の前で、入ちがいに成って、女房は店の方へ、ばたばたと後退《あとずさ》りに退った。

その茶の間の長火鉢を挟んで、差《さし》むかいに年寄が二人居た。ああ、まだ達者だとみえる。火鉢の向うに踞《つくば》って、その法然天窓《ほうねんあたま》が、火の気の少い灰の上に冷たそうで、鉄瓶《てつびん》より低い処にしなびたのは、もう七十の上に成ろう。この女房の母親《おふくろ》で、年紀《とし》の相違が五十の上、余り間があり過ぎるようだけれども、これは女房が大勢の娘の中に一番末子である所為《せい》で、それ、黒のけんちゅうの羽織を着て、小《ちい》さな髷《まげ》に鼈甲《べっこう》の耳こじりをちょこんと極めて、手首に輪珠数《わじゅず》を掛けた五十恰好《かっこう》の婆《ばばあ》が背後向《うしろむき》に坐ったのが、其《そ》の総領の娘である。

不沙汰見舞に来ていたろう。この婆は、余所《よそ》へ嫁附《かたづ》いて今は産んだ忰《せがれ》にかかっている筈《はず》、忰と云うのも、煙管《きせる》、簪《かんざし》、同じ事を業とする。が、この婆娘《ばばあむすめ》は虫が好かぬ。何為《なぜ》か、その上、幼い記憶に怨恨《うらみ》があるような心持が、一目見ると直ぐにむらむらと起ったから――この時黄色い、でっぷりした眉《まゆ》のない顔を上げて、じろりと額で見上げたのを、織次は屹《きっ》と唯《ただ》一目。で、知らぬ顔して奥へ通った。

「南無阿弥陀仏《なあまいだぶ》」

と折から唸《うな》るように老人《としより》が唱えると、婆娘は押冠《おしかぶ》せて、

「南無阿弥陀仏」と生《なま》若い声を出す。

「さて、どうも、お珍しいとも、何とも早や」と、平吉は坐りも遣《や》らず、中腰でそわそわ。

「お忙しいかね」と織次は構わず、更紗《さらさ》の座蒲団を引寄せた。

「ははは、勝手に道楽で忙しいんでしてな、つい暇でもございまするしね、怠け仕事に板前で庖丁《ほうちょう》の腕前を見せていたところでしてねえ。ええ、織さん、この二三日は浜で鰯《いわし》がとれますよ」と縁へはみでるくらい端近《はしちか》に坐ると一緒に、其処《そこ》にあった塵《ちり》を拾って卜首を捻《ねじ》って、土間に棄てた、その手をぐいと掴《つか》んで、指を揉《も》み、

「何時《いつ》、当地《こっち》へ」

「二三日前さ」

「雑《ざっ》と十四五年に成りますな」

「早いものだね」

「早いにも、織さん、私《わっし》なんざもう御覧の通り爺に成りましたよ。これじゃ途中で擦《すれ》違《ちが》ったぐらいでは、一寸《ちょいと》お分りに成りますまい」

「否《いや》、些《ちっ》とも変らないね、相かわらず意気な人さ」

「これはしたり！」

と天井抜けに、突出す腕《かいな》で額を叩《たた》いて、

「はっ、恐入ったね。東京仕込のお世辞は強《きつ》い。人、可加減《いいかげん》願いますぜ」

と前垂を横に刎《は》ねて、肱《ひじ》を突張り、ぴたりと膝に手を支《つ》いて向直る。

「何、串戯《じょうだん》なものか」と言う時、織次は巻莨《まきたばこ》を火鉢にさして俯向《うつむ》いて莞爾《にっこり》した。面色《おももち》は凛《りん》としながら優しかった。

「粗末なお茶でございます、直ぐに、あの、入かえますけれど、お一ツ」

と女房が、茶の室《ま》から、半身を摺《ず》らして出た。

「これえ、私《わっし》が事を意気な男だとお言いなさるぜ、御馳走をしなけりゃ不可《いか》んね」

「あれ、もし、お膝に」と、うっかり平吉の言う事も聞落したらしかったのが、織次が膝に落ちた吸殻の灰を弾《はじ》いて、はっとしたように瞼《まぶた》を染めた。

六

「さて、どうも、更《あらた》りましては、何とも申訳のない御不沙汰で、否《いえ》、もう、そりゃ実に、烏の鳴かぬ日はあっても、お噂《うわさ》をしない日はありませんが、なあ、これえ」

「ええ」と言った女房の顔色の寂《さみ》しいので、烏ばかり鳴くのが分る。が、別に織次は噂をされようとも思わなかった。

平吉は畳み掛け、

「牛は牛づれとか云うんでえしょう、手前が何しますにつけて、これも又、学校に縁遠い方だったものでえすから、暑さ寒さの御見舞だけと申すのが、書けないものには、飛んだどうも、実印を捺《お》しますより、事も大層に成りますところから、何とも申訳がございやせん。

何しろ、まあ、御緩《ごゆっく》りなすって、いずれ今晩は手前どもへ御一泊下さいましょうで」

と膝《ひざ》をすっと手先で撫《な》でて、取澄した風をしたのは、それに極った、と云う体《てい》を、仕方で見せたものである。

「串戯じゃない」と余りその見え透いた世辞の苦々《にがにが》しさに、織次は我知らず打棄《うっちゃ》るように言った。些《ち》とその言《ことば》が激しかったか、

「え」と、聞直すようにしたが、忽《たちま》ち唇の薄笑《うすらわらい》。

「ははあ、御同伴《おつれ》の奥さんがお待兼ねで」

「串戯じゃない」

と今度は穏かに微笑《ほほえ》んで、

「そんなものが有るものかね？」

「そんなものとは？」

「貴下《あなた》、まだ奥様《おくさん》はお持ちなさりませんの」

と女房、胸を前へ、手を畳にす。

織次は巻莨を、ぐい、とさし捨てて、

「持つもんですか」

「織さん」

と平吉は薄く刈揃《かりそろ》えた頭を掉《ふ》って、目を据えた。

「まだ、貴下、そんな事を言っていますね。持つものか！　なんて貴下、一生持たないでどうなさる。……また、こりゃお亡《なく》なんなすった父様《おとつさん》に代って、一説法せにゃならん。例の晩酌の時と云うとはじまって、貴下が殊《こと》の外《ほか》弱らせられたね。あれを一つ遣《や》りやしょう」

と片手で小膝をポンと敲《たた》き、

「飲みながらが可《い》い、召飲《めしあが》りながら聴聞《ちょうもん》をなさい。これえ、何を、お銚子《ちょうし》を早く」

「唯《はい》、もう燗《つ》けてござりえす」と女房が腰を浮かす、その裾端折《すそばしより》で。

織次は、酔った勢で、とも思う事があったので、黙っていた。

「ぬたをの……今、私《わっし》が擂鉢《すりばち》に拵《こしら》えて置いた、あれを、鉢に入れて、小皿を二つ、可いか、手綺麗《てぎれい》に装《よそお》わないと食えぬ奴さね。……もう不断、本場で旨《うま》いものを食《あが》りつけてるから、田舎料理なんぞお口には合わん、何にもいらない、ああ、いらないとも」

と独りで極《き》めて、もじつく女房を台所へ追立《おった》てながら、

「織さん、鰯《いわし》のぬただ、こりゃ御存じの通り、他国にはない味です。これえ、早くしなよ」

ああ、しばらく。座にその鰯の臭気のない内、言わねば成らぬ事がある……

「あの、平さん」

と織次は苦々しいもの言《いい》した。

「此家《こちら》に何だね、僕ン許《とこ》のを買って貰《もら》った、錦絵《にしきえ》があったっけね」

「へい、錦絵」と、さも年久しい昔を見るように、瞳を凝《じっ》と上へあげる。

「内で困って、……今でも貧乏は同一《おんなじ》だが」

と織次は屹《きっ》と腕を拱《く》んだ。

「私が学校で要る教科書が買えなかったので、親仁《おやじ》が思切って、阿母《おふくろ》の記念《かたみ》の錦絵を、古本屋に売ったのを、平さんが買戻して、蔵《しま》っといてくれた。その絵の事だよ」

時雨《しぐれ》の雲の暗い晩、寂しい水菜《みずな》で夕餉《ゆうげ》が済む、と箸《はし》も下に置かぬ前《さき》から、織次はど

うしても持たねばならない、と言って強請《ねだ》った。新撰《しんせん》物理書と云う四冊ものの黒表紙。これがなければ学校へ通われぬと云うのではない。科目は教師が黒板《ボオルド》に書いて教授するのを、筆記帳へ書取って、事は足りたのであるが、皆《みんな》が持ってるから欲《ほし》くて成らぬ。定価がその時金八十銭、と覚えている。

七

親父はその晩、一合の酒も飲まないで、燈火《ともしび》の赤黒い、火屋《ほや》の亀裂《ひび》に紙を貼《は》った、笠の煤《すす》けた洋燈《ランプ》の下に、膳《ぜん》を引いた跡を、直ぐ長火鉢の向うの細工場《さいくば》に立ちもせず、袖《そで》に継《つぎ》のあたった、黒のごろの半襟《はんえり》の破れた、千草色の半纏《はんてん》の片手を懐《ふところ》に、膝を立てて、それへ頰杖《ほおづえ》ついて、面長《おもなが》な思案顔を重そうに支えて黙然《だんまり》。

一寸取着端《とっつきは》がないから、

「だって、欲いんだもの」と言棄てに、ちょこちょこと板の間を伝って、だだッ広い、寒い台所へ行く、と向うの隅に、霜が見える……祖母さんが頭巾《ずきん》もなしの真白な小さなおばこで、皿小鉢を、がちがちと冷い音で洗ってござる。

「買っとくれよ、よう」

と聞分《ききわけ》もなく織次がその袂《たもと》にぶら下った。流《ながし》は高い。走りもとの破れた芥箱《ごみばこ》の上下を、ちょろちょろと鼠が走って、豆洋燈が蜘蛛《くも》の巣の中に茫《ぼう》とある……

「よう、買っとくれよ、お弁当は梅干で可いからさ」

祖母《としより》は、顔を見て、しばらく黙って、

「おお、どうにかして進ぜよう」

と洗いさした茶碗《ちゃわん》をそのまま、前垂で手を拭き拭き、氷のような板の間を、店の畳へ引返して、火鉢の前へ、力なげに膝をついて、背後向《うしろむき》に、まだ俯向《うつむ》いたなりの親父を見向いて、

「の、そうさっしゃいよ」

「成程」

「他の事ではない、あの子も喜ぼう」

「それでは、母親《おっかさん》、御苦労でございます」

「何の、お前」

と納戸《なんど》へ入って、戸棚から持出した風呂敷包が、その錦絵で、国貞*の画が二百余枚、虫干の時、雛祭《ひなまつり》、秋の長夜のおりおりごとに、馴染《なじみ》の姉様《あねさま》三千*で、下谷《したや》の伊達者《だてしゃ》、深川の婀娜者《あだもの》が沢山居る。

祖母《おばあ》さんは下に置いて、

「一度見さっしゃるか」と親父に言った。

「いや、見ますまい」

と顔を背《そむ》向ける。

祖母《としより》は解き掛けた結目《むすびめ》を、そのまま結えて、一寸襟を引合わせた。細い半襟の半纏の袖の下に抱えて、店のはずれを板の間から、土間へ下りようとして、暗い処《ところ》で、

「可哀やの、姉様たち。私《わし》が許《とこ》を離れてもの、蜘蛛男に買われさっしゃるな、二股坂へ行くまいぞ」

と小さな声して言聞かせた。織次は小児心《こどもごころ》にも、その絵を売って金子《かね》に代えるのである、と思った。……顔馴染の濃い紅《くれない》、薄紫、雪の膚《はだえ》の姉様たちが、この暗夜《やみのよ》を、すっと門《かど》を出る、……とふと寂しく成った。が、紅、白粉《おしろい》が何のその、で、新撰物理書の黒表紙が、四冊並んで、目の前で、ひょいと、躍った。

「待ってござい、織や」

ごろごろと静な枢戸《くるるど》の音、
台所を、どどんがたがた、鼠が荒野と駈廻る。

と祖母《としより》が軒先から引返して、番傘を持って出直す時、

「あのう、台所の燈《あかり》を消しといてくらっしゃいよ、の」

で、ガタリと門の戸がしまった。

コトコトと下駄の音して、何処まで行くぞ、時雨の脚が颯《さつ》と通る。あわれ、祖母《としより》に導かれて、振袖が、詰袖《つめそで》が、褄《つま》を取ったの、裳《も》を引いたの、鼈甲《べっこう》の櫛《くし》の照々《てらてら》する、銀の簪《かんざし》の揺々《ゆらゆら》するのが、真白な脛《はぎ》も露《あら》わに、友染《ゆうぜん》の花の幻めいて、雨具もなしに、びしゃびしゃと、跣足《はだし》で田舎の、山近な町の暗夜を辿《たど》る風情《ふぜい》が、雨戸の破目《やぶれめ》を朦朧《もうろう》として透いて見えた。

それも科学の権威である、物理書と云うのを力に、幼い眼を眩《くら》まして、その美しい姉様たちを、ぽったて、ぽったて、叩き出した、黒表紙のその状《さま》を、後に思えば鬼であろう。

台所の灯《ともしび》は、遥《はるか》に奥山家の孤家《ひとつや》の如《ごと》くに点《とも》れている。

トその壁の上を窓から覗《のぞ》いて、風にも雨にも、ばさばさと髪を揺《ゆす》って、団扇《うちわ》の骨ばかりな顔を出す……隣の空地の棕櫚《しゅろ》の樹が、その夜は妙に寂《しん》として気配も聞えぬ。

鼠も寂寞《ひっそり》と音を潜めた。……

八

台所と、この上框《あがりがまち》とを隔ての板戸に、地方《いなか》の習慣《ならい》で、蘆《あし》の簾《すだれ》の掛ったのが、破れる、断《き》れる、その上、手の届かぬ何年かの煤がたまって、相馬《そうま》内裏《だいり》*の古御所めく。

その蔭《かげ》に、遠い灯《あかり》のちらりとするのを背後《うしろ》にして、お納戸色の薄い衣《きぬ》で、ひたと板戸に身を寄せて、今出て行った祖母《としより》の背後影《うしろかげ》を、凝《じっ》と見送る状《さま》に彳《たたず》んだ婦《おんな》がある。

一目見て、幼い織次は、この現世《うつしよ》にない姿を見ながら、驚きもせず、しかし、とぼんとして小《ちい》さく立った。

その小児《こども》に振向けた、真白な気高い顔が、雪のように、颯と消える、とキリキリキリ――と台所を六角に井桁《いげた》で仕切った、内井戸の轆轤《ろくろ》が鳴った。が、すぐに、かたりと小皿が響いた。

流《ながし》の処に、浅黄の手絡《てがら》が、時ならず、雲から射《さ》す、濃い月影のようにちらちらして、黒髪のおくれ毛がはらはらとかかる、鼻筋のすっと通った横顔が仄《ほの》見えて、白い拭布《ふきん》がひらりと動いた。

「織坊」

と父が呼んだ。

「あい」

ばたばたと駈出して、その時まで同じ処に、画に描いたように静《じっ》として動かなかった草色の半纏に搦附《からみつ》く。

「ああ、阿母《おっか》のような返事をする、肖然《そっくり》だ、今の声が」

と膝へ抱く。胸に附着《くっつ》き、

「台所に母様《おっかさん》が」

「ええ！」と父親が膝を立てた。

「祖母さんの手伝いして」

親父はそのまま緊乎《しっか》と抱いて、

「織坊、本を買って、何を習う」

「ああ、物理書を皆《みんな》読むとね、母様《おっかさん》の居る処が分るって、先生がそう言ったよ。だから、早く欲《ほし》かったの、台所に居るんだもの、もう買わなくとも可《い》い。……おいでよ、父上《おとっさん》」

と手を引張ると、猶予《ためら》いながら、とぼとぼと畳に空足《からあし》を踏んで、板の間へ出た。その跫音《あしおと》より、鼠の駈ける音が激しく、棕櫚の骨がばさりと覗いて、其処《そこ》に、手絡の影もない。

織次はわっと泣出した。

父は立ちながら背《せな》を擦《さす》って、わなわな震えた。

雨の音が颯と高い。

「おお、冷《つめて》え、本降《ほんぶり》、本降」

と高調子で門を入ったのが、此処《ここ》に差向ったこの、平吉の平さんであった。

傘《からかさ》をがさりと掛けて、提灯《ちょうちん》をふっと消すと、蠟燭《ろうそく》の匂《におい》が立って、家中仏壇の薫《かおり》がした。

「呀《や》！　世話場だね、どうなすった、父《とっ》さん、お祖母《としより》は、何処へ」

で、父が一伍《ご》一什《じゅう》を話すと――

「立替えましょう、可惜《あったら》ものを。七貫や八貫で手離すには当りやせん。本屋じゃ幾干《いくら》に買うか知れないけれど、差当り、その物理書と云うのを求めなさる、ね、それだけ此処にあれば可い訳だ、と先《ま》ず言った訳だ。先方の買値がぎりぎりのところなら買戻すとする。……高く買っていたら破談にするだ、ね。何しろ、ここは一ツ、私に立替えさしてお置きなさい。……そらそら、はじめたはじめた、お株が出たぜえ。こんな事に済まぬも義理もあったものかね、ええ、君」

と太《ひど》く書生ぶって、

「だから、気が済まないなら、預け給《たま》え、僕に、ね、僕は構わん。構わないけれど、唯《ただ》立替えさして気が済まない、と言うんなら、その金子《かね》の出来るまで、僕が預かって置けば可《よ》うがしょう。さ、それで極った。……一つ莞爾《にっこり》としてくれ給え。君、しかし何だね、これにつけても、小児《こども》に学問なんぞさせねえが可いじゃないかね。くだらない、もうこれ織公も十一、吹鞴《ふいご》ばたばたは勤まるだ。二銭三銭の足には成る。ソレ直ぐに鹿尾菜《ひじき》の代が浮いて出ようと云うものさ。……実のところ、僕が小指《レコ》の姉なんぞも、此家《ここ》へ一人二度目《にどめの》妻を世話しようと云ってますがね、お互にこの職人が小児に本を買って遣《や》る苦労をするようじゃ、末を見込んで嫁入《きて》がないッさ。ね、祖母《としより》が、孫と君の世話をして、この寒空に水仕事だ。

因果な婆さんやないかい、と姉がいつでも言ってます」……とその時言った。

——その姉と言うのが、次室《つぎのま》の長火鉢の処に来ている。——

九

其処《そこ》へ、祖母《としより》が帰って来たが、何にも言わず、平吉に挨拶《あいさつ》もせぬ先に、

「さあ」と言って、本を出す。

織次は飛んで獅子《しし》の座へ直った勢。上から新撰《しんせん》に飛付くと、突《つん》のめったように成ってみた。黒表紙には綾《あや》があって、艶《つや》があって、真黒な胡蝶《こちよう》の天鵝絨《びろうど》の羽のように美しく……一枚開くと、きらきらと字が光って、細流《せせらぎ》のように動いて、何がなしに、言いようのない強い薫が芬《ぷん》として、目と口に浸込《しみこ》んで、中に描いた器械の図などは、ずッ

しり鉄《くろがね》の楯《たて》のように洋燈《ランプ》の前に顕《あらわ》れ出《い》でて、絵の硝子《ガラス》が燦《ぱっ》と光った。

さて、祖母《としより》の話では、古本屋は、あの錦絵《にしきえ》を五十銭から直《ね》を付け出して、しまいに七十五銭よりは出せぬと言う。きなかもその上はつかぬ*と断る。欲《ほし》い物理書は八十銭。何でも直ぐに買って帰って、孫が喜ぶ顔を見たさに、思案に余って、店端《みせさき》に腰を掛けて、時雨《しぐれ》に白髪を濡《ぬ》らしていると、其処の亭主が、それでは婆さんこうしなよ。此処にそれ、はじめの一冊だけ、一寸表紙に竹篦《たけべら》で折返しの路《あと》をつけた、古本の出物がある。定価から五銭引いて、丁どに鍔《つば》を合わせて置く。で、孫に持って行って遣るが可い、と捌《さば》きを付けた。国貞の画が雑《ざっ》と二百枚、辛うじてこの四冊の、然《しか》も古本と代ったのである。

平吉はいきり出した。何にも言うなで、一円出した。

「織坊、母様の記念《かたみ》だ。お祖母さんと一緒に行って、今度はお前が、背負《しょ》って来い」

「あい」

とその四冊を持って立つと、

「路が悪い、途中で落して汚《よご》すと成らぬ、一冊だけ持って来さっしゃい、又抱いて寝るのじゃの」

と祖母《としより》も莞爾《にっこり》して、嫁の記念を取返す、二度目の外出《そとで》はいそいそするのに、手を曳《ひ》かれて、キチンと小口を揃《そろ》えて置いた、あと三冊の兄弟を、父の膝許《ひざもと》に残しながら、出しなに、台所を竊《そっ》と覗くと、灯《ともしび》は棕櫚の葉風に自から消えたと覚しく……真の暗がりに、もう何にも見えなかった。

雨は小止《おやみ》で。

織次は夜道をただ、夢中で本の香を嗅《か》いで歩行《ある》いた。

古本屋は、今日この平吉の家《うち》に来る時通った、確か、あの湯屋から四五軒手前にあったと思う。四辻へ行く時分に、祖母《としより》が破傘をすぼめると、蒼《あお》く光って、蓋《ふた》を払ったように月が出る。山の形は骨ばかり白く澄んで、兎《うさぎ》のような雲が走る。

織次はふと幻に見た、夜店の頃の銀河の上の婦《おんな》を思って、先刻《さっき》とぼとぼと地獄へ追《お》い遣《や》られた大勢の姉様《あねさん》は、まさに救われてその通り天にのぼる、と心が勇む。

一足先へ駈出して、見覚えた、古本屋の戸へ附着《くっつ》いたが、店も大戸も閉《しま》っていた。

寒さは寒し、雨は降ったり、町は寂《しん》として何処にも灯の影は見えぬ。

「もう寝たかの」

と祖母《としより》がせかせかござって、

「御許《おゆる》さい、御許さい」

と遠慮らしく店頭《みせさき》の戸を敲《たた》く。

天窓《あたま》の上でガッタリ音して、

「何じゃ」

と言う太い声。箱のような仕切戸から、眉《まゆ》の迫った、頰の膨れた、への字の口して、小鼻の筋から頤《おとがい》へかけて、べたりと薄髯《うすひげ》の生えた、四角な顔を出したのは古本屋の亭主で。……この顔と、その時の口惜《くやし》さを、織次は如何《いか》にしても忘れられぬ。

絵はもう人に売った、と言った。

見知越《みしりごし》の仁ならば、知らせて欲い、其処へ行って頼みたい、と祖母《としより》が言うと、一寸々々《ちょいちょい》見懸ける男だが、この土地のものではねえの。越後へ行く飛脚だによって、脚が疾《はや》い。今頃はもう二股を半分越したろう、と小窓に頰杖《ほおづえ》を支《つ》いて嘲笑《あざわら》った。

縁の早い、売口の美い別嬪《べっぴん》の画であった。主《ぬし》が帰って間も無い、店の燈許《あかりもと》へ、あの縮緬《ちりめん》着物を散らかして、扱帯《しごき》も、襟《えり》も引《ひっ》さらげて見ているところへ、三度笠を横っちょで、てしま茣蓙《ござ》、脚絆《きゃはんばき》穿、草鞋《わらじ》でさっさっと遣って来た、足の高い大男が通りすがりに、じろりと見て、いきなり価《ね》をつけて、ずばりと買って、濡らしちゃならぬと腰づけに、きりりと、上帯を結び添えて、雨の中をすたすたと行方《ゆくえ》知れずよ。……

「分ったか、お婆々」と言った。

十

断念《あきらめ》かねて、祖母《としより》が何か二ツ三ツ口を利《き》くと、挙句《あげく》の果が、

「老耄婆《おいぼれば》め、帰れ」

と言って、ゴトンと閉めた。

祖母《としより》が、ト目を擦《こす》った帰途《かえりみち》。本を持った織次の手は、氷のように冷たかった。其処《そこ》で、小さな懐中へ小口を半分差込んで、圧《おさ》えるように頤《おとがい》をつけて、悄然《しょうぜん》とすると、辻の浪花節《なにわぶし》が語った……

「姫松殿がエ」

が暗から聞える。――織次は、飛脚に買去られたと言う大勢の姉様が、ぶらぶらと甘干《あまぼし》の柿のように、樹の枝に吊下《つりさ》げられて、上げつ下ろしつ、二股坂で苛《さいな》まれるのを、目《ま》のあたりに見るように思った。

とやっぱり芬《ぷん》とする懐中の物理書が、その途端に、松葉の燻《いぶ》る臭気《におい》*がし出した。固《もと》より口実、狐が化けた飛脚でのうて、今時町を通るものか。足許を見て買倒した、十倍百倍の儲《もうけ》が惜《おし》さに、貉《むじな》が勝手なことを吐《ほざ》く。引受けたり平吉が。で、この平さんが、古本屋の店へ居直って、そして買戻してくれた錦絵である。

が、その後《のち》、折を見て、父が在世の頃も、その話が出たし、織次も後に東京から音信《たより》をして、引取ろう、引取ろうと懸合うけれども、ちるの、びるので纏《まと》まらず、追つかけて迫詰《せりつ》めれば、片音信《かたたより》に成って埒《らち》が明かぬ。

今日こそ何でも、と云う意気込であった。

さて、その事を話し出すと、それ、案の定、天井睨《にら》みの上睡《うわねむ》りで、ト先ず空惚《そらとぼ》けて、漸《やっ》と気が付いた顔色《がんしょく》で、

「はあ、あの江戸絵かね、十六七年、やがて二昔、久しいもんでさ、あったっけかな」

と聞きも敢えず……

「無い筈《はず》はないじゃないか、あんなに頼んで置いたんだから。……」と何故《なぜ》かこの絵が、いわれある、活《い》ける恋人の如《ごと》く、容易《たやす》くは我が手に入らない因縁のように、寝覚めにも懸念《けねん》して、この家へ入るのに肩を聳《そびや》かしたほど、平吉がかかる態度に、織次は早や燥立《いらだ》ち焦《あせ》る。

平吉は他処事《よそごと》のように仰向いて、

「なあ、これえ」

と戸棚の前で、膳《ぜん》ごしらえする女房を頤《あご》で呼んで、

「知るまいな。忘れたろうよ、な、な、お前も、あの、江戸絵さ、蔵の中にあったっけか」

「唯《はい》、ござりえす、出しますかえ」と女房は判然《はっきり》言った。

「難有《ありがと》う、お琴さん」

と、はじめて親しげに名を言って、凝《じっ》と振向くと、浪の浅黄の暖簾越《のれんごし》に、又颯《さっ》と顔を赧《あか》らめたところは、どうやら、あの錦絵の中の、その、どの一人かに俤《おもかげ》が幽《かすか》に似通う。……

「お一つ」

と其処へ膳を直して銚子《ちょうし》を取った。変れば変るもので、まだ、七八ツ九ツばかり、母が存生の頃の雛祭《ひなまつり》には、緋《ひ》の毛氈《もうせん》を掛けた桃桜の壇の前に、小さな蒔絵《まきえ》の膳に並んで、この猪口《ちょこ》ほどな塗椀《ぬりわん》で、一緒に蜆《しじみ》の汁《つゆ》を替えた時は、この娘が、練物《ねりもの》のような顔のほかは、着くるんだ花の友染《ゆうぜん》で、その時分から円い背を、些《ち》と背屈《せかが》みに坐る癖で、今もその通りなのが、こうまで変った。

平吉は既《も》う五十の上、女房はまだ二十《はたち》の上を、二ツか、多くて三ツであろう。この姉だった平吉の前《ぜん》の家内が死んだあとを、十四五の、まだ鳥も宿らぬ花が、夜半の嵐に散らされた。はじめ孫とも見えたのが、やがて娘らしく、妹らしく、こうした処では消《ふさわ》しく成って、女房ぶりも哀《あわれ》に見える。

これも飛脚に攫《さら》われて、平吉の手に捕われた、一枚の絵であろう。

いや、何につけても早く、と又屹《きっ》と居直ると、女房の返事に、苦い顔して、横睨《よこにら》みをした平吉が、

「だが、何だぜ、これえ、何それ、何、あの貸したきりに成ってる筈だぜ。催促はするがね……それ、な、これえ。まだ、あのまま返って来ないよ、そうだよ。ああ、そうだよ」

と幾度も一人で合点《のみこ》み、

「ええ、織さん、いや、どうも、あの江戸絵ですがな、近所合壁《がっぺき》、親類中の評判で、平吉が許《とこ》へ行ったら、大黒柱より江戸絵を見い、と云う騒ぎで、来るほどに、集《たか》るほどに、丁《とん》と片時も落着いていた験《ためし》はがあせん」

と蔵の中に、何とやらと言った、その口の下……

「手前じゃ、まあ、持物と言ったようなものの、言わばね、織さん、何ですわえ。それ、貴下《あなた》から預っているも同然な品なんだから、出入《だし》れには、自然、指垢《ゆびあか》、手擦《てずれ》、つい汚れ勝にもなりやしょうで、見せぬと言えば喧嘩《けんか》に成る……弱るの何の。其処で先ず、貸したように、預けたように、余所《よそ》の蔵に秘《しま》ってありますわ。ところが、それ」

と、これも気色《けしき》ばんだ女房の顔を、兀上《はげあが》った額越に、卜睨《や》って、

「その蔵持の家《うち》には、手前が何でさ、……些とその銭式《レコしき》の不義理があって、当分顔の出せない、と云ったような訳で、いずれ、取って来ます。取って来るには取って来ますが、つい一寸、ソレ銭式《レコしき》の事ですからな。

それに、織さん、近頃じゃ価《ね》が出ましたっさ。錦絵は……唯《たっ》た一枚が、雑《ざっ》とあの当時の二百枚だってね、大事のものです。貴下にも大事のもので、又此方《こちら》も大事のものでさ。価《ね》は惜まぬ、ね、直は惜まぬから手放さないか、と何度《なんたび》も言われますがね、売るものですか。そりゃ売らない。憚《はばか》りながら平吉売らないね。預りものだ、手放して可《い》いものですかい。

けれども、おいそれとは今言ったような工合ですから、いずれ、その何でさ。ま、ま、めし飲《あが》れ、熱いところを。ね、御緩《ごゆっく》り。さあ、これえ、お焼物がない。ええ、間抜けな、ぬたばかり。これえ、御酒《ごしゅ》に尾頭《おかしら》は附物だわ。ぬたばかり、いやぬたぬたとぬたった婦《おんな》だ、へへへへ、鰯《いわし》を焼きな、気は心よ、な、鰯をよ」

と何か言いたそうに、膝で、もじもじして、平吉の額をぬすみ見る女房の様は、湯船へ横飛びにざぶんと入る、あの見世物の婦らしい。これも平吉に買われた為に、姿まで変ったのであろう。

坐り直って、

「あなたえ」

と怨《うら》めしそうな、情ない顔をする。

ぎょろりと目を剝《む》き、険な面《つら》で、

「これえ」と言った。

が、鰯を催促をしたようで。

「今、焼いとるんや」

と隣《となり》室の茶の室《ま》で、女房の、その、上の姉が皺《しな》びた声。

「なんまいだ」

と婆が唱える。……これが――「姫松殿がエ」と耳を貫く。……称名の中から、じりじりと脂肪《あぶら》の煮《に》える響がして、腥《なまぐさ》いのが、むらむらと来た。

この臭気が、ふと、あの黒表紙に肖然《そっくり》だと思った。

とそれならぬ、姉様《あねさん》が、山賊の手に松葉燻しの、乱るる、揺めく、黒髪までが目前《めさき》にちらつく。

織次は激く云った。

「平吉、金子《かね》でつく話はつけよう。鰯は待て」

売《ばい》色《しょく》鴨《かも》南《なん》蛮《ばん》

一

はじめ、目に着いたのは――些《ち》と申兼ねるが、――とにかく、緋《ひ》縮緬《ちりめん》であった。その燃立つようなのに、朱で処々ぼかしの入った長襦袢《ながじゅばん》で。女は裙《すそ》を端折《はしよ》っていたのではない、褄《つま》を高々と掲げて、膝《ひざ》で挟《はさ》んだあたりから、紅《くれない》がしっとり垂れて白い足くびを絡《まと》ったが、どうやら濡《ぬ》れしょびれた不気味さに、そうして引上げたものらしい。素足に染まって、その紅《あか》いのが映りそうなのに、藤色の緒の重い厚ぼったい駒下駄《こまげた》、泥まみれなのを、弱々と内端《うちわ》に揃《そろ》えて、股《また》を一つ捩《ねじ》った姿で、降りしきる雨の待合所の片隅に、腰を掛けていたのである。

日永の頃ゆえ、まだ暮れかかるまでもないが、やがて五時も過ぎた。場所は院線電車の*万世橋《まんせいばし》の停車場の、あの高い待合所であった。

柳はほんのりと萌《も》え、花はふっくりと莟《つぼ》んだ、昨日今日、緑、紅、霞《かすみ》の紫、春の将《まさ》に闌《たけなわ》ならむとする気を籠《こ》めて色の濃く、力の強いほど、五月雨《さみだれ》か何ぞのような雨の灰汁《あく》に包まれては、景色も人も、神田川の小舟さえ、皆黒い中に、紅梅とも、緋桃《ひもも》とも言うまい、横しぶきに、血の滴《したた》る如《ごと》き紅木瓜《べにぼけ》の、濡れつつぱっと咲いた風情《ふぜい》は、見向うものの、面《おもて》のほてるばかり目覚しかった。

　この目覚しいのを見て、話の主人公と成ったのは、大学病院の内科に勤むる、学問と、手腕を世に知らるる、最近留学して帰朝した秦宗吉《はたそうきち》氏である。

　辺幅《へんぷく》を修めない、質素な人の、住居《すまい》が芝の高輪《たかなわ》にあるので、毎日病院へ通うのに、この院線を使って、お茶の水で下車して、あれから大学の所在地まで徒歩するのが習であったが、五日も七日もこう降続くと、何処《どこ》の道も宛然《まるで》泥海のようであるから、勤人が大路の往還《ゆきき》の、茶なり黒なり背広で靴は、まったく大袈裟《おおげさ》だけれど、狸《たぬき》が土舟*と言う体がある。秦氏も御多分に洩《も》れず——尤《もっと》も色が白く鼻筋の通ったところは寧《むし》ろ兎《うさぎ》の部に属してはいるが——歩行《ある》き悩んで、今日は本郷どおりの電車を万世橋で下りて、例の銅像*を横に、大《おお》きな煉瓦を潜《くぐ》って、高い石段を昇った。……これだと、一寸《ちょっと》歩行いただけで甲武線*は東京の大中央を突抜けて、一息に品川へ、……

　が、それは段取だけの事サ。時間が時間だし、雨は降る……此処《ここ》も出入《ではいり》がさぞ籠むだろう、と思ったよりは夥《おびただ》しい混雑で、唯《ただ》停車場などと、宿場がって澄してはおられぬ。川留か、火事のように湧立《わきた》ち揉合《もみあ》う群集《ぐんじゅ》の黒山。中野行を待つ右側も、品川の左側も、二重三重に人垣を造って、線路の上まで押覆《おっかぶ》さる。

すぐに電車が来たところで、どうせ一度では乗れはしない。

宗吉はそう断念《あきら》めて、洋傘《こうもり》の雫《しずく》を切って、軽く黒外套《がいとう》の脇《わき》に挟みながら、薄い皮の手袋をスッと手首へ扱《しご》いて、割合に透いて見える、何故《なぜ》か、硝子囲《ガラスがこい》の温室のような気のする、雨気《あまけ》と人の香の、むっと籠った待合の裡《なか》へ、コツコツと、――やっぱり泥になった――侘《わび》しい靴の尖《さき》を刻んで入った時、ふとその目覚しいところを視たのである。

たしか、中央の台に、まだ大な箱火鉢が出ていた。……其処で、ハタと打撞《ぶっつか》った、その縮緬の炎から、急に瞳《ひとみ》を傍《わき》へ外《そ》らして、横状《よこざま》にプラットフォームへ出ようとすると、戸口の柱に、ポンと出た、も一つ赤いもの。

二

威《おど》しては不可《いけな》い。何、黒山の中の赤帽で、其処に腕組をしつつ、うしろ向きに凭掛《もたれかか》っていたが、宗吉が顔を出したのを茶色のちょんぼり髭《ひげ》を生《はや》した小白い横顔で、じろりと撓《た》めると、

「上りは停電で……下りは故障です」

と、人の顔さえ見れば、返事はこう言うものと極めたように殆《ほとん》ど機械的に言った。

そして頸窪《ぼんのくぼ》をその凭掛った柱で小突いて、超然とした。

「ヘッ！　上りは停電」

「下りは故障だ」

響の応ずるが如く、四五人口々に喋舌《しゃべ》った。

「よく出来てら」

「堪《たま》らねえなあ」

「ああ、ああ」

「困ったわねえ」と、つい釣込まれたかして、連《つれ》もない女学生が猪首《いくび》を縮めて呟《つぶや》いた。が、いずれも、今はじめて知ったのでは無さそうで、赤帽が爾《しか》く機械的に言うのでも分る。

かかる群集《ぐんじゅ》の動揺《どよ》む下に、冷然たる線路は日脚《ひあし》に薄暗く沈んで、いまに鯊《はぜ》が釣れるから待て、と大都市の泥海に、入江の如く彎曲《わんきょく》しつつ、伸々《のびのび》と静まり返って、その癖《くせ》底光のする歯の土手を見せて、冷笑《あざわら》う。

赤帽の言葉を善意に解するにつけても、苟《いやしく》も中山高帽《ちゅうやまたか》を冠って、外套も服も身に添った、洋行がえりの大学教授が、端近《はしぢか》へ押出して、この際じたばた為《す》べきではあるまい。

宗吉は――煙草《たばこ》は喫《の》まないが――その火鉢の傍へ引籠ろうとして、靴を返しながら、爪尖《つまさき》を見れば、ぐしょ濡の土間にちらちらと又紅《くれない》の褄が流れる。緋鯉《ひごい》が躍ったようである。

思わず視線の向うのと、肩を合せて、その時、腰掛を立上った、もう一人の女がある。丁度緋縮緬のと並んでいた、そのつれかとも思われる、大島の羽織を着た、円髷《まるまげ》の、脊《せ》の高い、面長な、目鼻立のきっぱりした顔を見ると、宗吉は、あっと思った。再び、おや、と思った。

と言うのは、頃日《このごろ》忙しさに、不沙汰はしているが、知己《ちかづき》も然もその婚礼の席に列《つらな》った、従弟《いとこ》の細君にそっくりで。世馴《よな》れた人間だと、すぐに、「おお」と声を掛けるほど、よく似ている。がその似ているのを驚いたのでもなければ、思い掛けず出会ったのを驚いたのでもない。まさしく、その人と思うのが、近々と顔を会わせながら、すっと外らした窓から雨の空を視た、取っても附けない、赤の他人らしい処置振に、一驚を吃《きっ》したのである。

いや、全く他人に違いない。

けれども、脊恰好《せいかっこう》から、形容《なりかたち》、生際《はえぎわ》の少し乱れた処《ところ》、色白な容色《きりよう》よしで、浅黄の手柄が、如何《いか》にも似合う細君だが、この女も又不思議に浅黄の手柄で、鬢《びん》の色っぽい処から……それそれ、少し仰向いている顔つき。他人が、一寸眉《まゆ》を顰《ひそ》める工合は、その細君は小鼻から口許《くちもと》に皺《しわ》を寄せる癖がある。……それまでが、そのままで、電車を待《まち》草臥《くたび》れて、雨に侘しげな様子が、小鼻に寄せた皺に明白《あからさま》であった。

勿論《もちろん》、別人とは納得しながらうっかり口に出そうな挨拶《こんにちは》を、唇で噛止《かみと》めて、心付くと、いつの間にか、足もやや近づいて、帽子に手を掛けていた極《きまり》の悪さに、背を向けて立直ると、雲低く、下谷《したや》、神田の屋根一面、雨も霞も漲《みなぎ》って濁った裡《なか》に、神田明神の森が見える。

唯《と》、緋縮緬の女が、同じ方を凝《じっ》と視ていた。

三

鼻の隆《たか》いその顔が、ひたひたと横に寄って、胸に白粉《おしろい》の着くように思った。

宗吉は、愕然《がくぜん》とするまで、再び、似た人の面影をその女に発見《みいだ》したのである。

緋縮緬の女は、櫛巻《くしまき》に結って、黒縮緬の紋着の羽織を撫肩《なでがた》にぞろりと着て、痩《や》せた片手を、力のない襟《えり》に挿《さ》して、そうやって、引上げた褄を圧《おさ》えるように、膝に置いた手に萌黄色《もえぎいろ》のオペラバックを大事そうに持っている。もう三十を幾つも越した年紀《とし》ごろから思うと、小児《こども》の土産《みやげ》にする玩弄品《おもちゃ》らしい、粗末な手提《てさげ》を、大事そうに、持っているは、きものも、襦袢も、素足も、櫛巻も、紋着も、何となくちぐはぐなところへ、色白そうなのが濃い化粧、口の大きく見えるまで濡々《ぬれぬれ》と紅をさして、細い頸《えり》の、真白《ましろ》な咽喉《のど》を長く、明神の森の遠見に、伸上るような、ぐっと仰向いて、大きな目を凝《じっ》と睜《みは》った顔は首だけ活人形《いきにんぎょう》を継いだようで綺麗《きれい》なよりは、もの凄《すご》い、但《ただ》、美しく優しく、然《しか》もきりりとしたのは類《たぐい》なきその眉である。

眉は、宗吉の思う、忘れぬ女と寸分違《たが》わぬ。が、この似たのはもう一人の、円髷の方が、従弟の細君に似たほど、適格《しっかり》したものでは決してない、或はそれが余りよく似たのに引込まれて、心に刻んだ面影が緋縮緬の方に宿ったのであろうも知れぬ。よし、眉の姿、唯一枚でも、秦宗吉の胸は、夢に三日月を呑《の》んだように、晃乎《きらり》と尊く輝いて、時めいて躍ったのである。

――お千と言った、その女は、実に宗吉が十七の年紀《とし》の生命《いのち》の親である。――

然も場所は、面前彼処《まのあたりかしこ》に望む、神田明神の春の夜の境内であった。

「ああ……もう一呼吸《ひといき》で、剃刀《かみそり》で」

と、今視《なが》めても身の毛が悚立《よだ》つ。……森のめぐりの雨雲は、陰惨な鼠色の隈《くま》を取った可恐《おそろ》しい面のようで、家々の棟は瓦《かわら》の牙《きば》を噛み、歯を重ねた、その上に二処《ふたところ》、三処《みところ》赤煉瓦の軒と、亜鉛《とたん》屋根の引剝《ひっぺがし》が、高い空に、赫《かっ》と赤い歯茎を剝《む》いた、人を啖《くら》う鬼の口に髣髴《ほうふつ》する。……その森、その樹立《こだち》は、……春雨の煙るとばかり見る目には、三《み》ツ五ツ縦に並べた薄紫の眉刷毛《まゆばけ》であろう。死のうとした身の、その時を思えば、それも逆《さかしま》に生えた蓬々《おどろおどろ》の髭である。

その空へ、すらすらと雁《かりがね》のように浮く、緋縮緬の女の眉よ！　瞳も据《すわ》って、瞬《まばた》きもしないで、恍惚《うつとり》と同じ処を凝視《みつ》めているのを、宗吉は又ちらりと見た。

ああその女？

と波を打って轟《とどろ》く胸に、この停車場は、大なる船の甲板を廻るように、舳《みよし》を明神の森に向けた。

手に取るばかり尚《な》お近い。

「なぞえに低く成った、彼処《あすこ》が明神坂だな」

その右側の露地の突当りの家で。……

——死のうとした日の朝——宗吉は、年紀上《としうえ》の渠《かれ》の友達に、顔を剃《あた》って貰《もら》った。

……その夜、明神の境内でアワヤ咽喉に擬したのはその剃刀であるが。

（一寸順序を附けよう）

宗吉は学資もなしに、無鉄砲に国を出て、行処《ゆきどころ》のなさに、その頃、或一団の、取止めのない不体裁なその日ぐらしの人たちの世話に成って、辛うじて雨露《うろ》を凌《しの》いでいた。

その人たちと言うのは、主に懶惰《らんだ》、放蕩《ほうとう》のため、世に見棄てられた医学生の落第なかまで、年輩も相応、女房持なども交った。中には政治家の半端《はんぱ》もあるし、実業家の下積、山師もいたし、真面目《まじめ》に巡査に成ろうかと言うのもあった。

其処で、宗吉が当時寐《ね》泊りをしていたのは、同じ明神坂下の片側長屋の一軒で、ここには食うや食わずの医学生あがりの、松田と云うのが夫婦でいた。

その突当りの、柳の樹に、軒燈《けんとう》の掛った見晴《みはらし》のいい誰かの妾宅《しょうたく》の貸間に居た、露の垂れそうな綺麗なのが……ここに緋縮緬の女が似たと思う、そのお千さんである。

四

お千は、世を忍び、人目を憚《はばか》る女であった。宗吉が世話になる、渠等なかまの、殆ど首領とも言うべき、熊沢と言う、追《おっ》て大実業家と成ると聞いた、絵に描いた、化地《ばけ》蔵のような大漢《おおおとこ》が、そんじょその辺のを落籍《ひか》したとは表向、得心させて、連出して、内証で囲っていたのであるから。

言うまでもなく商売人《くろうと》だけれど、芸妓《げいしゃ》だか、遊女《おいらん》だか――それは今に於《おい》て分らない――何しろ、宗吉には三ツ四ツもっとかと思う年紀上の綺麗な姉さん、婀娜《あだ》なお千さんだったのである。

前夜まで、――唯今のような、じとじと降《ぶり》の雨だったのが、花の開くように霽《あが》った、彼岸前の日曜の朝、宗吉は朝飯前と言うが、やがて、十時。……此処は、ひもじい経験のない読者にも御推読を願って置く。が、いつに成ってもその朝の御飯はなかった。

妾宅では、前の晩、宵《よい》に一度、てんどんのお誂《あつら》え、夜中一時頃に蕎麦《そば》の出前が、芬《ぷん》と枕頭《まくらもと》を匂《にお》って露地を入ったことを知っているので、行けば何かあるだろう……天気が可いと尚お食べたい。空腹《すきばら》を抱いて、げっそりと落込むように、溝《どぶ》の減った裏長屋の格子戸《こうしど》を開けたところへ、突当りの妾宅の柳の下から、ぞろぞろと長閑《のどか》そうに三人出た。

肩幅の広いのが、薄汚れた黄八丈の書生羽織を、ぞろりと着たのは、この長屋の主人《あるじ》で、一度戸口へ引込んだ宗吉を横目で見ると、小指を出して、

「どうした」

と小声で言った。

「まだ、お寐《よ》ってです」

起きるのに張合がなくて、細君のまだ、裸体《はだか》で柏餅《かしわもち》に包《くる》まっているのを、そう言うと、主人は一寸舌を出して黙って行く。

次のは、剃《そ》りたての頭の青々とした綺麗な出家。細面の色の白いのが、鼠の法衣下《ころもした》の上へ、黒縮緬《ちりめん》の五紋《いつつもん》、——お千さんのなのだ、振の紅《あか》い、——羽織を着ていた。

昨夜《ゆうべ》、この露地に入った時は、紫の輪袈裟《わげさ》を雲の如《ごと》く尊く絡《まと》って、水晶の珠数《じゅず》を提げたのに。——

唯《と》、うしろから、拳固《げんこ》で、前の円い頭をコツンと敲《たた》く真似して、宗吉を流眄《ながしめ》で、ニヤリとして続いたのは、頭毛《かみのけ》の真中に皿に似た禿《はげ》のある、色の黒い、目の窪《くぼ》んだ、口の大《おお》きな男で、近頃まで政治家だったが、飜《ひるがえ》って商業に志した、ために紋着を脱いで、綿銘仙《わためいせん》の羽織を裄短《ゆきみじか》に、めりやすの股引《ももひき》を痩股《やせもも》に穿《は》いている。……小皿の平四郎。

いずれも、花骨牌《はちはち》で徹夜の今、明神坂の常盤湯《ときわゆ》へ行ったのである。

行違いに、茫乎《ぼんやり》と、宗吉が妾宅へ入ると、食うものどころか、いきなり跡始末の掃除をさせられた。

「済まないことね、学生さんに働かしちゃあ」

とお千さんは、伊達巻《だてまき》一つの艶《えん》な蹴出《けだし》で、お召の重衣《かさね》の褄《つま》をぞろりと引いて、黒《くろ》天鵞絨《びろうど》の座蒲団《ざぶとん》を持って、火鉢の前を遁《に》げながらそう言った。

「何、目下は私《あつし》たちの小僧です」

と、甘谷《あまや》と言う横肥《よこぶと》り、でぶでぶと脊《せい》の低い、ばらりと髪を長くした、太鼓腹に角帯を巻いて、前掛の真田《さなだ》をちょきんと結んだ、これも医学の落第生。追って大実業家たらむとする準備中のが、笑いながら言ったのである。

二人が、この妾宅の貸ぬしのお妾《めかけ》が、――もういい加減な中婆さん――と兼帯に使う、次の室《ま》へ立った間《ま》に、宗吉がひょろひょろして、時々浅ましく下腹をぐっと泣かせながら、とにかく、きれいに掃出すと、

「御苦労々々々」

と調子づいて、

「さあ、貴女《あなた》」

と、甘谷が座蒲団を引攫《ひっさら》って、もとの処へ。……身体《からだ》に似ない腰の軽い男。……尤も甘谷も、つい十日ばかり前までは宗吉と同じ長屋に貸蒲団の一ツ夜着で、芋虫ごろごろしていたところ――事業の運動に外出《そとで》勝《がち》の熊沢旦那が、お千さんの見張兼番人かたがた妾宅の方へ引取って置くのであるから、日蔭《ひかげ》ものでもお千は御主人。このくらいな事は当然で。

対の蒲団を、とんとんと小形の長火鉢の内側へ直して、

「さ、さ、貴女」

と自分に退《の》いて、

「いざ先《ま》ず……これへ」と口も気もともに軽い、が、起居《たちい》が石臼《いしうす》を引摺《ひきず》るように、どしどしする。――ああ、無理はない、脚気《かっけ》がある、夜あかしはしても、朝湯には行け

ないのである。

「可厭《いや》ですことねえ」

と婀娜《あだ》な目で、襖際《ふすまぎわ》から覗《のぞ》くように、友染《ゆうぜん》の裾《すそ》を曳《ひ》いた櫛巻の立姿。

五

桜には些《ち》と早い、木瓜《ぼけ》か、何やら、枝ながら障子に映る花の影に、ほんのりと日南《ひなた》の薫《かおり》が添って、お千がもとの座に着いた。

向うには、旦那の熊沢が、上下大島の金鎖、あの大々《だいだい》したので、ドカリと胡坐《あぐら》を組むのであろう。

「お留守ですか」

宗吉が何となく甘谷に言った、此処《ここ》にも見えず、湯に行った中にも居なかった。その熊沢を訊《き》いたのである。

縁側の片隅で、

「えへん！」と屋鳴《やな》りのするような咳払《せきばらい》を響かせた、便所の裡《なか》で。

「熊沢は此処に居るぞう」

「まあ」

莞爾《にっこり》して、

「随分ですこと、ほほほ」

と家主のお妾が、次の室《ま》を台所へ通りがかりに笑って行くと、お千さんが俯向《うつむ》いて、

「其処《そこ》が御婦人の毒でげす」

「余り色気がなさ過ぎるわ」

と甘谷は前掛をポンポンと敲いて、

「お千さんは大将の彼処《あすこ》ン処へ落ッこちたんだ」

「あら、随分……酷《ひど》いじゃありませんか、甘谷さん、余《あん》りだよ」

何にも知らない宗吉にも、この間違は直ぐ分った、汚いに相違ない。

「いやあ、これは、失敗、失敬、失礼」

と甘谷は立続けに叩頭《おじぎ》をして、

「其処で、おわびに、一つ貴女の顔を剃《あた》らして頂きやしょう。いえ、自慢じゃありませんがね、昨夜《ゆうべ》ッから申す通り、野郎図体《ずうたい》は不器用でも、勝奴《かつやっこ》*ぐらいにゃ確に使えます。剃刀《かみそり》を持たしちゃ確です。——秦君、一寸奥へ行って、剃刀を借りて来《き》給《たま》え」

宗吉は、お千さんの、湯にだけは密《そっ》と行っても、床屋へは行けもせず、呼ぶのも慎むべき境遇を頷《うなず》きながら、お妾に剃刀を借りて戻る。……

「おっと！……次手《ついで》に金盥《かなだらい》……気を利《き》かして、気を利かして」

この間に、いま何か話があったとみえる。

「さあ、君、此処へ顔を出したり、一つ手際を御覧に入れないじゃ、奥さん御信用下さらない」

「いいえ、そうじゃありませんけれどもね、私まだ、そんなでもないんですから」

「何、御遠慮にゃあ及びません。間違ったところでたかが小僧の顔でさ。……丁度、ほら、むく毛が生えて、餡子《あんこ》の撮食《つまみぐい》をしたようだ」

宗吉は、可憐《あわれ》やゴクリと唾《つば》を呑《の》んだ。

「仰向いて、ぐっと。そら、どうです、つるつるのつるつると、鮮《あざや》かなもんでげしょう」

「何だか危ッかしいわね」

と少し膝《ひざ》を浮かしながら、手許《てもと》を覗いて憂慮《きづかわ》しそうに、動かす顔が、鉄瓶《てつびん》の湯気の陽炎《かげろう》の薄絹を掛けつつ、宗吉の目に、ちらちら、ちらちら。

「大丈夫、それこの通り、一寸一寸《ちょいちょい》の一寸一寸《ちょいちょい》と」

「あれ、止《よ》して頂戴《ちょうだい》、止してよ」

と浮かした膝を揺ら揺らと、袖が薫って伸上る。

「何故《なぜ》ですてば」

「危いわ、危いわ。おとなしい、その優しい眉毛《まみえ》を、落したらどうしましょう」

「その事ですかい」

と、一寸止めた剃刀を又当てた。

「構やしません」

「あれ、目の縁はまだしもよ、上は止して、後生だから」

「貴女の襟脚《えりあし》を剃ろうてんだ。何、こんなものくらい」

「ああ、あああああ、あああーッ」

と便所の裡で屋根へ投げた、筒抜けな大欠伸《おおあくび》。

「笑っちゃあ……不可《いけな》い不可い」

「ははははは、笑ったって泣いたって、何、こんな小僧ッ子の眉毛なんか」

「厭《いや》、厭、厭」

と支膝《つきひざ》のまま、するすると寄る衣摺《きぬずれ》が、遠くから羽衣の音の近《ちかづ》くように宗吉の胸に響いた……

畳の波に人魚の半身。

「どんな母《おつか》さんでしょう、このお方」

雪を欺《あざむ》く腕《かいな》を空に、甘谷の剃刀の手を支え、突いて離して、胸へ、抱くようにして熟《じっ》と視た。

「羨《うらやま》しい事、まあ、何て、いい眉毛《まみえ》だろう。親御はさぞ、お可愛《かわい》いだろうねえ」

乳も白々と、優しさと可懐《なつか》しさが透通るように視えながら、衣の綾《あや》も衣紋《えもん》の色も、黒髪も、宗吉の目の真暗に成った時、肩に袖《そで》をば掛けられて、面を襟に伏せながら、忍び兼ねた胸を絞って、思わず、ほろほろと熱い涙。

お妾が次の室《ま》から、

「切れますか剃刀は……あわせに遣《や》ろう遣ろうと思いましちゃあ……ついね。……」

自殺をするのに、宗吉は、床屋に持って行きましょう、と言って、この剃刀を取って出た。それは同じ日の夜に入ってからである。

仔細《しさい》は、……

六

……さて、やがて朝湯から三人が戻って来ると、長い事便所に居た熊沢も一座で、又花札を弄《もてあそ》ぶ事に成って、朝飯は鮨《すし》にして、湯豆腐で一寸一杯、と言う。

この使の次手《ついで》に、明神の石坂、開化楼裏の、あの切立《きったて》の段を下りた宮本町の横小路に、相馬煎餅《せんべい》――塩煎餅の、焼方の、醬油の斑《ふ》に、何となく轡《くつわ》の形の浮出して見える名物がある。――茶受《ちゃうけ》にしよう、是非お千さんにも食べさしたいと、甘谷の発議《はつぎ》。で、宗吉がこれを買いに遣られたのが事の原因《おこり》であった。

何分にも、十六七の食盛《くいざか》りが、毎日々々、三度の食事にがつがつしていたところへ、朝飯前とたとえにも言うのが、突落されるように嶮《けわ》しい石段を下りたドン底の空腹《ひもじ》さ。……天麩羅《てんぷら》とも、蕎麦《そば》とも、焼芋とも、芬《ぷん》と塩煎餅の香《こうば》しさがコンガリと鼻を突いて、袋を持った手がガチガチと震う。近飢《ちかがつ》えに、冷い汗が垂々《たらたら》と身うちに流れる堪え難さ。

その時分の物価で、……忘れもしない七銭が煎餅の可なり嵩《かさ》のある中から、……小判の如《ごと》く、数二枚。

宗吉は、一坂《ひとさか》戻って、段々に一寸区劃《くぎり》のある、すぐに手を立てたように石坂がまた急に成る、平面な処《ところ》で、銀杏《いちょう》の葉はまだ浅し、樅《もみ》、榎《えのき》の梢《こずえ》は遠し、楯《たて》に取るべき蔭もなしに、崕《がけ》の溝端《どぶばた》に真俯向《まうつむ》けに成って、生れてはじめて、許されない禁断の果《このみ》を、相馬の名に負う、轡をガリリと頬張る思いで、馬の口にかぶりついた。が、甘さと切なさと恥かしさに、堅く成った胸は、自《おの》ずから溝の上へのめって、折れて、煎餅は口よりも却《かえ》って胃の中でポリポリと破《こわ》れた。

ト突出した廂《ひさし》に額を打たれ、忍返《しのびがえし》の釘《くぎ》に眼を刺され、赫《かっ》と血とともに総身が熱く、忽爾《たちまち》、罪ある蛇に成って、攀上《よじのぼ》る石段は、お七が火の見を駈上った思いがして頭《こうべ》に映《さ》す太陽は、血の色して段に流れた。

宗吉はかくて又明神の御手洗《みたらし》に、更に、氷に閉じらるる思いして悚然《ぞっ》と寒気を感じたのである。

「くすくす、くすくす」

花骨牌《はちはち》の車座の、輪に身を捲《ま》かるる、危さを感じながら、宗吉が我知らず面《おもて》を赧《あから》めて、煎餅の袋を渡したのは、甘谷の手で。

「おっと来た、めしあがれ」

と一枚めくって合せながら、袋をお千さんの手に渡すと、これは少々疲れた風情《ふぜい》で、なかまへは入らぬらしい。火鉢を隔てたのが請取って、膝で覗《のぞ》くようにして開けて、

「御馳走様ですね、……早速お毒見」

と言った。

これに又胸が痛んだ。だけなら、まださほどまでの仔細はなかった。

「くすくす、くすくす」

宗吉がこの座敷へ入りしなに、もうその忍び笑いの声が耳に附いたのであるが、こ

の時、お千さんの一枚撮《つま》んだ煎餅を、見ないように、一寸傍《わき》へかわした宗吉の顔に、横から打撞《ぶつか》ったのは小皿の平四郎。……頰骨の張った菱形《ひしがた》の面《つら》に、窪《くぼ》んだ目を細く、小鼻をしかめて、

「くすくす」

と又遣った。手のわるさに落ちたとみえて*札は持たず、鍍金《めっき》の銀煙管《ぎんぎせる》を構えながら、めりやすの股引《ももひき》を前はだけに片膝を立てていたのが、その膝頭に頰骨をたたき着けるようにして、

「くすくすくす」

続いて忍び笑をしたのである。

立続《たてつづ》けに、

「くッくッくッ」

七

「此方《こっち》は、びき*を泣かせて遣れか」

と黄八丈が骨牌《ふだ》をめくると、黒縮緬《くろちりめん》の坊さんが、紅《あか》い裏翻然《ひらり》と翻《かえ》して、

「餓鬼め」

と投げた。

「うふ、うふ、うふ」と平四郎の忍び笑が、歯茎を洩《も》れて声に出る。

「うふふ、うふふ、うふふふふ」

「何じゃい」と片手に猪口《ちょく》を取りながら、黒天鵝絨《くろびろうど》の蒲団の上に、萩《はぎ》、菖蒲《あやめ》、桜、牡丹《ぼたん》の合戦を、＊どろんとした目で見据えていた、大島揃《ぞろい》、大胡坐《あぐら》の熊沢が、ぎょろりと平四郎を見向いて言うと、笑いの虫は蕃荻《とうがらし》を食ったように、赤く成るまで赫と競勢《きお》って、

「うははは、うふふ、うふふ。うふふ。えッ、いや、あ、あ、チ、あははは、はッはッはッ、テ、ウ、えッ、えッ、えッ、えへへ、うふふ、あはあはあは、あは、あは、ははは、ははは、あはははは」

「馬鹿な」

と唇を横舐《よこな》めずって、熊沢がぬっと突出した猪口に、酌をしようとして、銅壺《どうこ》から抜きかけた銚子の手を止め、お千さんが、

「どうしたの」

「おほほ、や、お尋ねでは恐入るが、あはは、テ、えッ。えへ、えへへ、う、う、ちえッ、堪《たま》らない。あッはッはッはッ」

「魔が魅《さ》したようだ」

と甘谷が呆《あき》れて呟《つぶや》く、……と寂然《しん》と成る。

寂寞《しん》と成ると、笑ばかりが、

「ちゃははははは、う、はは、うふ、へへ、ははは、えへへへへへ、えッへ、へへ、あははは、うは、うは、うはは。どッこい、ええ、チ、ちゃはは、エ、ははははは、ははははは、うッ、うッ、えへッへッへッ」

と横のめりに平四郎、煙管《きせる》の雁首《がんくび》で脾腹《ひばら》を突《つつ》いて、身悶《みもだ》えして、

「くッ、苦しい……うッ、うッ、うッふふふ、チ、うッ、ううう苦しい。ああ、切ない、あははははは、あはッはッはッ、おお、コ、こいつは、あはは、ちゃはは、テ、チ、たッたッ堪らん。ははは」

と込上げ揉立《もみた》て、真赤に成った、七顛八倒《しちてんばっとう》の息継《いきつぎ》に、つぎ冷《ざま》しの茶を取って、がぶりと遣ると、「わッ」と咽《む》せて、灰吹を掴《つか》んだが間に合わず、火入の灰へぷッと吐くと、むらむらと灰かぐら。

「ああ、あの児、障子を一枚開けていな」

と黒縮緬の袖で払って出家が言った。

宗吉は針の筵《むしろ》を飛上るように、そのもう一枚、肘懸窓《ひじかけまど》の障子を開けると、颯《さっ》と出る

灰の吹雪《ふぶき》は、すッと蒼空《あおぞら》に渡って、遥《はるか》に品川の海に消えた。が、蔵前の煙突も、十二階も、睫毛《まつげ》に一眸《ひとめ》の北の方、目の下、一雪崩《ひとなだれ》の崕《がけ》に成って、崕下の、ごみごみした屋根を隔てて、日南《ひなた》の煎餅屋の小さな店が、油障子も覗かれる。

＊

ト斜に、がッくりと窪《くぼ》んで暗い、崕と石垣の間の、遠く明神の裏の石段に続くのが、大蜈蚣《おおむかで》のように胸前《むなさき》に蜿《うね》って、突当りに牙《きば》を嚙合《かみあわ》せた如き、小さな黒塀《くろべい》の忍返《しのびがえし》の下に、溝《どぶ》から這上《はいあが》った蛆《うじ》の、醜い汚い筋をぶるぶると震わせながら、麩《ふすま》を嘗《な》めるような形が、歴然《ありあり》と、自分《おの》が瞳《ひとみ》に映った時、宗吉はもはや蒼白《そうはく》に成った。

此処《ここ》から認められたに相違ない。

と思う平四郎は、涎《よだれ》と一所に、濡《ぬ》らした膝《ひざ》を、手巾《はんけち》で横撫《よこな》でしつつ、

「ふ、ふ、ふ、ふ」……大歎息《おおためいき》とともに尻《しり》を曳《ひ》いたなごりの笑が、更に、がらがらと雷の鳴返《なり》す如く少年の耳を打つ！

「お前《せん》をめしあがれな」

目の下の崕が切立《きったて》だったら、宗吉は、お千さんのその声とともに、倒《さかしま》に落ちてその場で五体を微塵《みじん》にしたろう。

産《うみ》の親を可懐《なつか》しむまで、眉《まゆ》の一片《ひとひら》を庇《かば》ってくれた、その人ばかりに恥かしい。……

「一寸、宅《うち》まで」

と息を呑《の》んで言った――宅とは露地のその長屋で。

宗吉は、しかし、その長屋の前さえ、遁隠《にげかく》れするように素通りして、明神の境内の彼方此方《かなたこなた》、人目の隙《すき》の隅々に立って飢さえ忘れて、半日を泣いて泣きくらした。

星も曇った暗き夜に、

「おかみさん――床屋へ剃刀《かみそり》を持って参りましょう。次手《ついで》がございますから。……」

宗吉は故《わざ》と格子戸《こうしど》をそれて、蚯蚓《みみず》の這うように台所から、密《そっ》と妾宅《しょうたく》へおとずれて、家主の手から剃刀を取った。

間《ま》を隔てた座敷に、艶《つや》やかな影が気勢《けはい》に映って、香水の薫《かおり》は、つとはしり下にも薫った。が、寂寞《ひっそり》していた。

露地の長屋の赤い燈《あかり》に、珍らしく、大入道やら、五分刈やら、中にも小皿で禿《かむろ》なる影法師が動いて、ひそひそと声の漏れるのが、目を忍び、音《ね》を弾《ひ》ける出入りには、宗吉のために、寧《むし》ろ僥倖《さいわい》だったのである。

八

「何をするんですよ、何をするんですよ、お前さん、串戯《じょうだん》ではありません」

社殿の裏なる、空茶店《あきちゃみせ》の葦簀《よしず》の中で、一方の柱に使った片隅なる大木の銀杏の幹に凭掛《もたれかか》って、アワヤ剃刀を咽喉《のど》に当てた時すッと、音して、滝縞《たきじま》の袖《そで》で抱いたお千さんの姿は、……宗吉の目に、高い樹の梢《こずえ》から颯と下りた、美しい女の顔した不思議な鳥のように映った――

剃刀をもぎ取られた後は、茫然《ぼうぜん》として殆《ほとん》ど夢心地である。

「まあ！　可《よ》かった」

と、身を捻《ね》じて、肩を抱きつつ、社の方を片手拝みに、

「虫が知らしたんだわね。いま、お前さんが台所で、剃刀を持って行くって声が聞えたでしょう。ドキリとしたのよ。……秦《はた》さん秦さんと言ったけれど、もう居ないでしょう、何だかこんな、間違がありそうな気がして成らない。私、私、でね、すぐに後から駈出《かけだ》したのさ。でも、何処《どこ》って当はないんだもの。鳥居前の彼処《あすこ》の床屋で聞いてみたの。まあね。……まるでお見えなさらないと言うじゃあないの。しまった、と思ったわ。半分夢中でそれでも、私が此処へ来たのは神仏《かみほとけ》のお助けです。秦さん、私が助けるんだと思っちゃあ不可《いけな》い。可《よ》うござんすか、可《い》いかえ、貴方《あなた》。……親御さんが影身《かげみ》に添っていなさるんですよ。可うござんすか、分りましたか」

小児《こども》のように、柔い胸も、帯も扱帯《しごき》もひったりと抱緊《だきし》めて、

「御覧なさい、お月様が、あれ、ののさんが」

忘れはしない、半輪の五日の月が黒雲を下りるように、荘厳なる銀杏の枝に、梢さがりに掛ったのが、可懐《なつか》しい亡《な》き母の乳房の輪線の面影した。

「まあ、これからと言う、……女にしても蕾《つぼみ》のいま、どうして死のうなんてしたんですよ。――私に……私……ええ、それが私に恥かしくって、――」

その乳の震《ふるえ》が胸に響く。

「何の塩煎餅《せんべい》の二枚ぐらい、貴方が掏摸《ちぼ》でも構やしない――私はね、あの。……まあ、とにかく、内へ行きましょう。可い塩梅《あんばい》に誰も居ないから」

促して、急いで脱放《ぬぎはな》しの駒下駄《こまげ》を捜《さぐ》る時、白脛《しらはぎ》に緋《ひ》が散った。お千も慌《あわただ》しかったとみえて、宗吉の穿物《はきもの》までは心付かず、可恐《おそろ》しい処を遁げるばかりに、息せいて手を引いたのである。

魔を除《よ》け、死神を払う禁厭《まじない》であろう、明神の御手洗《みたらし》の水を掬《すく》って、雫《しずく》ばかり宗吉の頭髪《かみ》を濡らしたが、

「……息災、延命、息災延命。学問、学校、心願成就」

と、手よりも濡れた瞳を閉じて、頸《えり》白く、御《み》堂をば伏拝み、

「一口めしあがれ、……気を静めて――私も」

と柄杓《ひしゃく》を重げに口にした。

「動悸《どうき》を御覧なさいよ、私のさ」

その胸の轟《とどろ》きは、今より先に知ったのである。

「秦さん、私は貴方を連れて、もう彼処《あすこ》へは戻らない。……身にも命にもかえてね、お手伝をしますがね、……実はね、今明神様におわびをして、貴方のお頭《つむ》を濡らしたのは——実は、あの、一度内へ帰ってね。……この剃刀で、貴方をそりたての今道心《いまどうしん》にして、一所に寝ようと思ったのよ。——あのね、実はね、今夜あたり紀州のあの坊さんに、私が抱かれて、其処《そこ》へ、熊沢だの甘谷だのが踏込んで、不義いたずらの罪に落そうと言う相談に……どうでも、と言って乗せられたんです。

……あの坊さんは、高野山の、金高《かなだか》なお宝ものを売りに出て来ているんでしょう。何処とかの大金持だの、何省の大臣だのに売って遣《や》ると言って、だまして、熊沢が皆質に入れて使って了《しま》って、催促される、苦しまぎれに、不断、何だか私にね、坊さんが厭味《いやみ》らしい目つきをするのを知っていて、まあ、大それた美人局《つつもたせ》*だわね。

私が弱いもんだから、身体も度胸もずばぬけて、強そうな、あの人をたよりにしてこんな身裁《みしだら》に成ったけれど、……そんな相談をされてからはね……その上にこの眉毛《まみえ》を見てからは、……」

と、お千は密《そっ》と宗吉の肩を撫でた。

「つくづく、あんな人が可厭《いや》に成った、――そら、どかどかと踏込むでしょう、貴方を抱いてちゃんと起きて、居直ってあいそづかしをきっぱり言って、夜中に直ぐに飛出して、溜飲《りゅういん》を下げて遣ろうと思ったけれど……どんな発機《はずみ》で、自棄腹《やけばら》の、あの人たちの乱暴に、貴方に怪我でもさせた日にゃ、取返しがつかないからと、いま胸に手を置いて、分別をしたんですよ。

さ、このまま何処かへ行きましょう。私に任して安心なさいよ。……貴方もきっとあの人たちに二度とつき合っては不可《いけ》ません」

裏崕《うらがけ》の石段を降りる時、宗吉は狼《おおかみ》の峠を越して、花やかな都を見る気がした。

「此処……そう……」

お千さんが莞爾《にっこり》して、塩煎餅を買うのに、昼夜帯《ちゅうやおび》を抽《ぬ》いたのが、安ものらしい、が、萌黄《もえぎ》の金入《かねいれ》。

「食べながら歩行《ある》きましょう」

「弱虫だね」

大通へ抜ける暗がりで、甘く、かつ香《かんば》しく、皓歯《しらは》でこなしたのを、口移し。……

九

宗吉が夜学から、徒士町《おかちまち》のとある裏の、空瓶屋《あきびんや》と襤褸屋《ぼろや》の間の、貧しい下宿屋へ帰る、と、引傾《ひきかし》いだ濡縁《ぬれえん》づきの六畳から、男が一人摺違《すれちが》いに出て行くと、お千さんはぱッと障子を開けた。が、もう床が取ってある。……

枕頭《まくらもと》の火鉢に、はかり炭を継いで、目の破れた金網を斜に載せて、お千さんが懐《ふところ》紙《がみ》であおぎながら豌豆餅《えんどうもち》を焼いてくれた。

そして熱いのを口で吹いて、嬉《うれ》しそうな宗吉に、浦里《うらざと》*の話をした。

お千は、それよりも美しく、雪はなけれど、ちらちらと散る花の、小庭の湿地の、石炭殻につもる可哀《かわい》さ、痛々しさ。

時次郎でない、頰被《ほつかぶ》りしたのが、黒塀の外からスッと覗《のぞ》く。

お千が脛白《はぎしろ》く、はっと立って、障子をしめようとする目の前へ、トンと下りると、つかつかと縁側へ。

「あれ」

「おい、気の毒だが一寸用事だ」

と袖から蛇の首のように捕縄《とりなわ》をのぞかせた。

膝をなえたように支《つ》きながら、お千は宗吉を背後《うしろ》に囲って、

「……この人は、……」

「いや、小僧に用はない、すぐおいで」

「宗ちゃん、……朝の御飯はね、煮豆が買って蓋《ふた》ものに、……紅生薑《べにしようが》と、……紙の蔽《おおい》がしてありますよ」

風俗係は草履を片手に、もう入口の襖《ふすま》を開けていた。

お千が穿《はき》ものをさがすうちに、風俗係は内から、戸の錠をあけたが、軒を出るとひたりと、腰縄を打った。

細腰はふっと消えて、すぼめた肩が、くらがりの柳に浮く。

……そのお千には、もう疾《とう》に、羽織もなく下着もなく、膚《はだ》ただ白く縞の小袖の萎《な》えたるのみ。

宗吉は、跣足《はだし》で、めそめそ泣きながら後を追った。

目も心も真暗で、町も処も覚えない。颯《さつ》と一条の冷い風が、電燈の細い光に桜を誘った時である。

「旦那」

とお千が立停まって、

「宗ちゃん――宗ちゃん」

振向きもしないで、うなだれたのが、気を感じて、眉《まゆ》を優しく振向いた。

「……」

「姉さんが、魂をあげます」――辿《たど》りながら折ったのである。……懐紙の、白い折鶴が掌《て》にあった。

「この飛ぶ処へ、すぐおいで」

ほっと吹く息、薄紅《うすくれない》に、折鶴は却って蒼白《あおじろ》く、花片《はなびら》にふっと乗って、ひらひらと空を舞って行く。……これが落ちた大《おお》きな門で、はたして宗吉は拾われたのであった。

電車が上り下りとも殆ど同時に来た。

宗吉は身動きもしなかった。

唯見《と》ると、円髷《まるまげ》の女が、その緋縮緬《ひぢりめん》の傍《そば》へ衝《つ》と寄って、いつか、肩ぬげつつ裏へ辷《すべ》った効性《かいしょう》のない羽織を上から、引合せて遣《や》りながら、

「さあ、来ました」

「自動車ですか」

と目を睜《みは》ったまま、緋縮緬の女はきょろんとしていた。

十

年少《としわか》い駅員が、

「貴方がたは？」

と言った。

乗り余った黒山の群集《ぐんじゅ》も、三四輛《りょう》立続《たてつづ》けに来た電車が、泥まで綺麗《きれい》に浚《さら》ったのに、まだ待合所を出なかった女二人、（別に一人）と宗吉をいぶかったのである。

宗吉は言った。

「この御婦人が御病気なんです」

と、やっぱり、けろりと仰向いている緋縮緬の女を、外套《がいとう》の肘《ひじ》で庇《かば》って言った。

駅員の去ったあとで、

「唯今《ただいま》、自動車を差上げますよ」

と宗吉は、優しく顔を覗きつつ、円髷の女に瞳《ひとみ》を返して、

「巣鴨*はお見合せを願えませんか。……きっと御介抱申します。私はこう言うものです」

なふだに——医学博士——秦宗吉とあるのを見た時、……もう一人居た、散切《ざんぎり》で被《ひ》

布《ふ》の女が、P形《けい》に直立して、Zの如く敬礼した、これは付添の雑仕婦《ぞうしふ》であったが、博士が、その従弟《いとこ》の細君に似たのをよすがに、これより前《さき》、円髷の女に言《ことば》を掛けて、その人品のゆえに人をして疑わしめず、連《つれ》は品川の某楼の女郎で、気の狂ったため巣鴨の病院に送るのだが、自動車で行きたい、それでなければ厭だと言う、そのつもりにして、すかして電車で来ると、此処《ここ》で自動車でないからと言って、何でも下りて、すねたのだと言う。……円髷は某楼のその娘分、女郎の本名をお千と聞くまで、――この雑仕婦は物頂面《ぶっちょうづら》して睨《にら》んでいた。

不時の回診に驚いて、或日、その助手たち、その白衣《びゃくえ》の看護婦たちの、ばらばらと急いで、然《しか》も、静粛《しずか》に駈寄るのを徐《おもむ》ろに左右に辞して、医学博士秦宗吉氏が、

「いえ、個人で見舞うのです……皆さん、どうぞ」

やがて博士は、特等室に唯一人、膝《ひざ》も胸も、しどけない、けろんとした狂女に、何と……手に剃刀《かみそり》を持たせながら、臨床《ベッド》に跪《ひざまず》いて、その胸に額を埋めて、犇《ひし》と縋《すが》って、潸然《さんぜん》として泣きながら、微笑《ほほえ》みながら、身も世も忘れて愚《おろか》に返ったように、だらしなく、涙を髯《ひげ》に伝わらせていた。

歌《うた》行《あん》燈《どん》

一

宮重大根《みやしげだいこん》のふとしく立てし宮柱は、ふろふきの熱田《あつた》の神のみそなわす、七里のわたし浪《なみ》ゆたかにして、来往の渡船《とせん》難なく桑名につきたる悦《よろこ》びのあまり……

と口誦《くちずさ》むように独言《ひとりごと》の、膝栗毛《ひざくりげ》＊五編の上の読初め、霜月十日あまりの初夜。中空《なかぞら》は冴《さえ》きって、星が水垢離《みずごり》取りそうな月明《つきあかり》に、踏切の桟橋を渡る影高く、灯《ともしび》ちらちらと目の下に、遠近《おちこち》の樹立《こだち》の骨ばかりなのを視《なが》めながら、桑名の停車場《ステイション》へ下りた旅客がある。

月の影には相応《ふさわ》しい、真黒な外套《がいとう》の、痩《や》せた身体《からだ》に些《ち》と広過ぎるを緩く着て、焦茶《こげちゃ》色の中折帽、真新しいはさて可《い》いが、馴れない天窓《あたま》に山を立てて、鍔《つば》をしっくりと耳へ被《かぶ》さるばかり深く嵌《は》めた、剰《あまつさ》え、風に取られまいための留紐《とめひも》を、ぶらりと皺《しな》びた頰へ下げた工合が、時世《ときよ》なれば、道中、笠《かさ》も載せられず、と断念《あきら》めた風に見える。年配六十二三の、気ばかり若い弥次郎兵衛《やじろうべえ》。

さまで重荷ではないそうで、唐草《からくさ》模様の天鵝絨《びろうど》の革鞄《かばん》に信玄袋を引搦《ひっから》めて、這個《こいつ》を片手。片手に蝙蝠傘《こうもりがさ》を支《つ》きながら、

「さて……悦びのあまり名物の焼蛤《やきはまぐり》に酒汲《く》みかわして、……と本文にある処《ところ》さ、旅籠屋《はたごや》へ着《ちゃく》の前に、停車場前の茶店か何かで、一本傾けて参ろうかな。（どうだ、喜多八）と行きたいが、其許《そのもと》は年上で、些とそりが合わぬ。だがね、家元の弥次郎兵衛*どの事も、伊勢路では、これ、同伴《つれ》の喜多八にはぐれて、一人旅のとぼとぼと、棚からぶら下った宿屋を尋ねあぐんで、泣きそうに成ったとあるです。ところで其許は、道中松並木で出来た道づれの格だ。その道づれと、何んと一口遣《や》ろうではないか、ええ、捻平《ねじべい》さん」

「また、言うわ」

と苦い顔を渋くした、同伴の老人は、まだ、その上を四つ五つで、やがて七十《ななそじ》なるべし。臘虎《らっこ》皮の鍔なし古帽子を、白い眉尖《まゆさき》深々と被って、鼠の羅紗《らしゃ》の道行《みちゆき》着た、股引《ももひき》を太く白足袋《しろたび》の雪駄穿《せったばき》。色褪《あ》せた鬱《う》金《こん》の風呂敷、真中を紐で結えた包を、西行背負《さいぎょうじょい》*に胸で結んで、これも信玄袋を手に一つ。片手に杖《つえ》は支いたけれども、足腰はしゃんとした、人柄の可《い》いお爺様《じいさま》。

「その捻平は止《よ》しにさっしゃい、人聞きが悪うて成らん。道づれは可《よ》けれども、道中松並木で出来たと言うで、何とやら、その、私《わし》が護摩《ごま》の灰《はい》*ででもあるように聞えるじゃ」と杖を一つ丁《とん》と支《つ》くと、後《あと》の雁《がん》が前《さき》に成って、改札口を早々《さっさ》と出る。

故《わざ》と一足後《うしろ》へ開いて、隠居が意見に急ぐような、連《つれ》の後姿をじろりと見ながら、

「それ、其処《そこ》がそれ捻平さね。松並木で出来たと云って、何もごまのはいには限るまい。尤《もっと》も若い内は遣ったかも知れんてな。ははは」

人も無げに笑う手から、引手繰《ひったく》るように切符を取られて、はっと駅夫の顔を見て、きょとんと生真面目《きまじめ》。

成程、この小父者《おじご》が改札口を出た殿《しんがり》で、何をふらふら道草したか、汽車はもう遠くの方で、名物焼蛤の白い煙を、夢のように月下に吐いて、真蒼《まつさお》な野路《のじ》を光って通る。

……

「やがて爰《ここ》を立出《たちい》で辿《たど》り行くほどに、旅人の唄うを聞けば」

と小父者、出た処で、けろりとして又口誦んで、

「捻平さん、可い文句だ、これさ。……

時雨《しぐれ》蛤みやげにさんせ

宮のおかめが、……ヤレコリャ、よオしよし」

「旦那、お供はどうで」

と停車場《ステイシヨン》前の夜の隈《くま》に、四五台朦朧《もうろう》と寂しく並んだ車の中から、車夫が一人、腕組みをしてのっそり出る。

これを聞くと弥次郎兵衛、口を捻《ね》じて片頬《かたほ》笑《え》み、

「難有《ありがて》え、図星と云うところへ出て来たぜ。が、同じ事を、これ、(旦那衆戻り馬乗らんせんか)と何故《なぜ》言わぬ」

「へい」と言ったが、車夫は変哲もない顔色《がんしょく》で、そのまま棒立。

二

小父者は外套の袖《そで》をふらふらと、酔ったような風附《ふうつき》で、

「遣れよ、さあ、(戻馬乗らんせんか)と、後生だから一つ気取ってくれ」

「へい、(戻馬乗らんせんか)と言うでございますかね、戻馬乗らんせんか」

と早口で車夫は実体《じってい》。

「ははは、法性寺入道前《ほうしょうじのにゅうどうさき》の関白太政大臣《だじょうだいじん》*と言ったら腹を立てちゃった、法性寺入道前の関白太政大臣様と来ている」と又アハハと笑う。

「さあ、もし召して下さい」

と話は極《きま》った筈《はず》にして、委細構わず、車夫は取着《とっつ》いて梶棒《かじぼう》を差向ける。

小父者《おじご》、目を据えて故《わざ》と見て、

「ヤレコリャ車なんぞ、よオしよし」

「否《いや》、よしではない」

と其処に一人つくねんと、添竹《そえだけ》に、その枯菊の縋《すが》った、霜の翁《おきな》は、旅のあわれを、月空に知った姿で、

「早く車を雇わっしゃれ。手荷物はあり、勝手知れぬ町の中を、何を当にぶらつこうで」と口叱言《くちこごと》で半ば呟《つぶや》く。

「いや、先《ま》ず一つ、（よオしょし）と切出さんと、本文《ほんもん》に合わぬてさ。ところへ喜多八が口を出して、（しょうろく四銭《しもん》*で乗るべいか）馬士《うまかた》が、（そんなら、ようせよせ）と言いやす、馬がヒインヒインと嘶《いば》う」

「若いもの、その人に構うまい。車を早く。川口の湊屋《みなとや》と言う旅籠屋へ行くじゃ」

「ええ、二台でござりますね」

「何んでも構わぬ、私《わし》は急ぐに……」と後向きに掴《つか》まって、乗った雪駄を爪立《つまだ》てながら、蹴込みへ入れた革鞄《かばん》を跨《また》ぎ、首に掛けた風呂敷包みを外ずしもしないで揺《ゆす》って置く。

「一蓮托生《いちれんたくしょう》、死なば諸共《もろとも》、捻平待ちゃれ」と、くすくす笑って、小父者《おじご》も車にしゃんと乗る。……

「湊屋だえ」

「おいよ」

で、二台、月に提灯《かんばん》の灯《あかり》黄色に、広場《ひろつぱ》の端へ駈込《かけこ》むと……石高路《いしだかみち》*をがたがたしながら、板塀《いたべい》の小路、土塀の辻《つじ》、径路《ちかみち》を縫うとみえて、寂しい処幾曲り。やがて二階屋が建続き、町幅が糸のよう、月の光を廂《ひさし》で覆《おお》うて、両側の暗い軒に、掛行燈《かけあんどん》が疎《まばら》に白く、枯柳に星が乱れて、壁の蒼《あお》いのが処々。長い通りの突当りには、火の見の階子《はしご》が、遠《とお》山《やま》の霧を破って、半鐘の形活《い》けるが如《ごと》し。……火の用心さっさりやしょう、金棒《かなぼう》*の音に夜更《よふ》けの景色。霜枯時《しもがれどき》の事ながら、月は格子《こうし》にあるものを、桑名の妓達《こたち》は宵寝《よいね》と見える、寂しい新地《くるわ》へ差掛った。

輻《やばね》の下に流るる道は、細き水銀の川の如く、柱の黒い家の状《さま》、あたかも獺《かわうそ》が祭礼《まつり》をして、*白張《しらはり》の地口《じぐち》行燈*を掛連ねた、鉄橋を渡るようである。

爺様の乗った前の車が、はたと留った。

あれ聞け……寂寞《ひっそり》とした一条廓《ひとすじくるわ》の、棟瓦《むねがわら》にも響き転げる、轍《わだち》の音も留まるばかり、灘《なだ》の浪を川に寄せて、千里の果も同じ水に、筑前《ちくぜん》の沖の月影を、白銀《しろがね》の糸で手繰《たぐ》ったように、星に晃《きら》めく唄の声。

博多《はかた》帯《おび》しめ、筑前絞《しぼり》、

田舎の人とは思われぬ、

歩行《ある》く姿が、柳町、と博多節《はかたぶし》を流している。……つい目の前《さき》の軒陰に。……白地の手拭《てぬぐい》、頬被《ほおかむり》、すらりと瘦《やせ》ぎすな男の姿の、軒のその、うどんと紅《べに》で書いた看板の前に、横顔ながら俯向《うつむ》いて、ただ影法師のように彳《たたず》むのがあった。

捻平はフト車の上から、頸《うなじ》の風呂敷包のまま振向いて、何か背後《うしろ》へ声を掛けた。……と同時に弥次郎兵衛の車も、丁度その唄う声を、町の中で引挟《ひっぱさ》んで、がっきと留まった。が、話の意味は通ぜずに、そのまま捻平のが又曳出《ひきだ》す……後《あと》の車も続いて駈け出す。と二台が一寸摺《す》れ摺れに成って、すぐ旧《もと》の通り後前《あとさき》に、流るるような月夜の車。

三

お月様が一寸《ちょいと》出て松の影。

アラ、ドッコイショ、

と沖の浪の月の中へ、颯《さっ》と、撥《ばち》を投げたように、霜を切って、唄い棄てた。……饂《う》飩屋《どんや》の門《かど》に博多節を弾《ひ》いたのは、転進《てんじん》*を稍ゝ《やや》縦に、三味線の手を緩めると、撥を逆手《さかて》に、その柄で弾《はじ》くようにして、仄《ほん》のりと、薄赤い、其屋《そこ》の板障子をすらりと開けた。

って、

「御免なさいよ」

頬被りの中の清《すず》しい目が、釜《かま》から吹出す湯気の裏《うち》へすっきりと、出たのを一目、驚いた顔をしたのは、帳場の端に土間を跨いで、腰掛けながら、うっかり聞惚《ききと》れていた亭主で、紺の筒袖にめくら縞《じま》の前垂がけ、草色の股引で、尻《しり》からげの形《なり》、にょいと立った顔をしたのは、

「出ないぜえ」*

は、ずるいな。……案ずるに我が家の門附《かどづけ》を聞徳《ききどく》に、いざ、その段に成ったところで、件《くだん》の（出ないぜ）を極《き》めてこまそ心積りを、唐突《だしぬけ》に頬被を突込まれて、大分狼狽《うろた》えたものらしい、尤も居合わした客はなかった。

門附は、澄まして、背後《うしろ》じめに戸を閉《た》てながら、三味線を斜《はす》にずっと入って、

「あい、親方は出ずとも可《い》いのさ。私の方で入るのだから。……ねえ、女房《おかみ》さん、そんなものじゃありませんかね」

と些《ち》と笑声《わらいごえ》が交って聞えた。

女房は、これも現下《いま》の博多節に、うっかり気を取られて、釜前の湯気に朦《もう》として立っていた。

……浅黄の襷《たすき》、白い腕を、部厚な釜の蓋《ふた》に一寸載せたが、円髷《まるまげ》をがっくりさした、

色の白い、歯を染めた中年増《ちゅうどしま》。この途端に颯と瞼《まぶた》を赤うしたが、竈《へっつい》の前を横ッちょに、かたかたと下駄の音で、亭主の膝《ひざ》を斜交《はすつか》いに、帳場の銭箱へがっちりと手を入れる。

「ああ、御心配には及びません」

と門附は物優しく、

「串戯《じょうだん》だ、強請《ゆする》んじゃありません。此方《こっち》が客だよ、客なんですよ」

細長い土間の一方は、薄汚れた縦に六畳ばかりの市松畳《いちまつだたみ》、其処へ上れば坐れるのを、釜に近い、床几《しょうぎ》の上に、卜足を伸ばして、

「どうもね、寒くって堪《たま》らないから、一杯御馳走に成ろうと思って。ええ、親方、決してその御迷惑を掛けるもんじゃありません」

で、優柔《おとな》しく頰被りを取った顔を、唯見《と》ると迷惑どころかい、目鼻立ちのきりりとした、細面の、瞼に窶《やつれ》は見えるけれども、目の清らかな、眉《まゆ》の濃い、二十八九の人品《ひとがら》な兄哥《あにい》である。

「へへへへ、いや、どうもな」

と亭主は前へ出て、揉手《もみで》をしながら、

「しかし、このお天気続きで、先ず結構でござりやすよ」と何もない、煤《すす》けた天井を仰ぎ仰ぎ、帳場の上の神棚へ目を外《そ》らす。

「お師匠さん」

女房前垂を一寸撫《な》でて、

「お銚子《ちょうし》でございますかい」と莞爾《にっこり》する。

門附は手拭の上へ撥を置いて、腰へ三味線を小取廻《ことりまわ》し、*内端《うちわ》に片膝を上げながら、床几の上に素足の胡坐《あぐら》。

ト裾《すそ》を一つ掻込《かいこ》んで。

「早速一合、酒は良《い》いのを」

「ええ、もう飛切りのをおつけ申しますよ」と女房は土間を横歩行《ある》き。左側の畳に据えた火鉢の中を、邪険に火箸《ひばし》で掻《か》い掘《ほじ》って、赫《かっ》と赤く成ったところを、床几の門附へずいと寄せ、

「さあ、まあ、お当りなさりまし」

「難有《ありがて》え」

と鉄拐《てっか》に*褄《つま》へ引挟《ひっぱさ》んで、ほうと呼吸《いき》を一つ長く吐《つ》いた。

「世の中にゃ、こんな炭火があると思うと、里心が付いて尚《な》お寒い。堪らねえ。女房《おかみ》さん、銚子をどうかね、ヤケと言う熱燗《あつかん》にしておくんなさい、些《ちっ》と飲んで、うんと酔おうと云う、卑劣な癖が付いてるんだ、お察しものですぜ、ええ、親方」

「へへへ、お方《かた》*、それ極熱《ごくあつ》じゃ」

女房は染めた前歯を美しく、

「あいあい」

四

「時に何かね、今此家《ここ》の前を車が二台、旅の人を乗せて駈抜けたっけ、この町を、……」

と干した猪口《ちよく》で門《かど》を指して、

「二三町行った処《ところ》で、左側の、屋根の大きそうな家《うち》へ着けたのが、蒼《あお》く月明りに見えたがね、……彼処《あすこ》は何かい、旅籠屋《はたごや》ですか」

「湊屋《みなとや》でございまさ、なあ」と女房が、釜の前から亭主を見向く。

「湊屋、湊屋、湊屋。この土地じゃ、まあ彼処一軒でござりますよ。古い家じゃが名《な》代《だい》で。前《ぜん》には大きな女郎屋じゃったのが、旅籠屋に成ったがな、部屋々々も昔風そのままな家《うち》じゃに、奥座敷の欄干《てすり》の外が、海と一所の、大い《いか》揖斐《いび》の川口じゃ。白帆の船も通りますわ。鱸《すずき》は刎《は》ねる、鯔《ぼら》は飛ぶ。頓《とん》と類のない趣のある家《うち》じゃ。ところが、時々崖裏《がけうら》の石垣から獺《かわうそ》が這込《はいこ》んで、板廊下や厠《かわやっ》に点いた燈《あかり》を消して、悪戯《いたずら》をするげに言います。が、別に可恐《おそろし》い化方《ばけかた》はしませぬで。こんな月の良い晩には、庭で鉢叩《はちたた》き*をして見せる……時雨《しぐ》れた夜《よ》さりは、天保銭《てんぽうせん》一つ使賃《つかいちん》で、豆腐を買いに行くと言う。それも旅の衆の愛嬌《あいきよう》じゃ言うて、豪《えら》い評判の好《い》い旅籠屋ですがな、……お前様、この土地はまだ何も知りなさらんかい」

「あい、昨夜《ゆうべ》はじめて此方《こっち》へ流込んで来たばかりさ。一向方角も何も分らない。月夜も闇《やみ》の烏《からす》さね」

と俯向いて、一口。

「どれ延びない内、底を一つ温めよう、遣ったり！　ほっ」

と言って、目を擦《こす》って面《おもて》を背《そむ》けた。

「利《き》く、利く。……恐しい利く唐辛子《とうがらし》だ。こう、親方の前だがね、つい過般《こないだ》もこの手を食ったよ、料簡《りようけん》が悪いのさ。何、上方筋《かみがたすじ》の唐辛子だ、鬼灯《ほおずき》の皮が精々だろう。利くものか、と高を括《くく》って、お銭《あし》は要らない薬味なり、どしこと丼《どんぶり》へぶちまけて、松坂で飛上った。……又遣ったさ、色気は無《ね》えね、涙と涎《よだれ》が一時《いっとき》だ」と手の甲で引擦《ひっこす》る。

　女房が銚子のかわり目を、卜掌《てのひら》で燗《かん》を当った。

「お師匠さん、あんたは東の方ですなあ」

「そうさ、生《うまれ》は東だが、身上《しんしよう》は北山*さね」と言う時、徳利の底を振って、垂々《たらたら》と猪口へしたむ。

「で、お前様、湊屋へ泊んなさろうと言うのかな」

それだ、と門口で断らりょう、と亭主はその段含ませたそうな気の可《い》い顔色《かおつき》。

「御串戯《ごじょうだん》もんですぜ、泊りは木賃と極《きま》っていまさ。茣蓙《ござ》と笠《かさ》と草鞋《わらじ》が留守居。壁の破れた処から、鼠が首を長くして、私《わたし》の帰るのを待っている。四五日はこの桑名へ御厄介に成ろうと思う。……上旅籠《じょうはたご》の湊屋で泊めてくれそうな御人品なら、御当家へ、一夜の御無心申したいね、どんなもんです、女房《おかみ》さん」

「こんなでよくば、泊めますわ」

と身軽に銚子を運んで寄る。と亭主驚いた眉を動かし、

「滅相な」と帳場を背負《しょ》って、立塞《たちふさ》がる体《てい》に腰を掛けた。いや、この時まで、紺の鯉口《ぐち》に手首を縮《すく》めて、案山子《かかし》の如《ごと》く立ったりける。

「ははは、お言葉には及びません、饂飩屋さんで泊めるものは、醤油《おしたじ》の雨宿りか、鰹節《かつおぶし》の行者*だろう」

と呵々《からから》と一人で笑った。

「お師匠さん、一つお酌さしておくんなさいまし」と女房は市松の畳の端から、薄く腰を掛込んで、土間を切って、差向いに銚子を取った。

「飛んでもない事、お忙しいに」

「否《いえ》な、内じゃ芸妓屋《げいこや》さんへ出前ばかりが主《おも》ですから、ごらんの通りゆっくりじゃえな。真個《ほん》にお師匠さん佳《い》いお声ですな。なあ、良人《あんた》」と、横顔で亭主を流眄《ながしめ》。

「さよじゃ」

とばかりで、煙草《たばこ》を、ぱっぱっ。

「なあ、今お聞かせやした、あの博多節を聞いたればな、……私ゃ、ほんに、身に染《し》みてぶるぶると震えました」

五

「そう讃《ほ》められちゃお座が醒《さ》める、酔《えい》も醒めそうで遣瀬《やるせ》がない。たかが大道芸人さ」

と兄哥《あにい》は照れた風で腕組みした。

「私がお世辞を言うものですかな、真実《まったく》ですえ。あの、その、なあ、悚然《ぞっ》とするような、恍惚《うっとり》するような、緊《し》めたような、投げたような、緩めたような、まあ、何んと言うて可《よ》かろうやら。海の中に柳があったら、お月様の影の中へ、身を投げて死にたいような、……何んとも言いようのない心持に成ったのですえ」

と、背筋を曲《くね》って、肩を入れる。

「お方、お方」

と急込《せきこ》んで、訳もない事に不機嫌な御亭が呼ばわる。

「何じゃいし」と振向くと、……亭主何時《いつ》の間にか、神棚の下《もと》に、斜《しゃ》と構えて、帳面を引繰《ひっく》って、苦く睨《にら》み、

「升屋《ますや》が懸《かけ》は未《ま》だ寄越さんかい」

と算盤《そろばん》を、ぱちりぱちり。

「今時どうしたえ、三十日《みそか》でもありもせんに。……お師匠さん」

「師匠じゃないわ、升屋が懸じゃい」

「そないに急に気に成るなら、良人《あんた》、ちゃと行って取って来《き》い」

と下唇の刎調子《はねちょうし》。亭主ぎゃふんと参った体《てい》で、

「二進が一進、二進が一進、二一天作の五、五一三六七八九《ごいちさぶろくななやあここの》」と、饂飩《うどん》の帳《ちょう》の伸縮みは、加減《さしひき》だけで済むものを、醤油《したじ》に水を割算段*。

と、釜の湯気の白けたところへ、星の凍《い》てそうな按摩《あんま》の笛。月天心《つきてんしん》の冬の町に、あたかもこれ凩《こがらし》を吹込む声す。

門附の兄哥は、ふと痩《や》せた肩を抱いて、

「ああ、霜に響く」……と言った声が、物語を読むように、朗《ほがらか》に冴《さ》えて、かつ、鋭く

聞えた。

「按摩が通る……女房《おかみ》さん」

「ええ、笛を吹いてですな」

「畜生、怪《け》しからず身に染みる、堪《たま》らなく寒いものだ」

と割膝《わりひざ》に跪坐《かしこま》って、飲みさしの茶の冷えたのを、茶碗《ちゃわん》に傾け、ざぶりと土間へ、

「一ツ此奴《こいつ》へ注いでおくんな、その方がお前さんも手数が要らない」

「何んの、私は些《ちっ》とも構うことないのですえ」

「否《いや》、御深切は難有《ありがた》いが、薬罐《やかん》の底へ消炭で、湧《わ》くあとから醒めるところへ、氷で咽《の》喉《ど》を扼《えぐ》られそうな、あのピイピイを聞かされちゃ、身体《からだ》にひびっ裂《たけ》がはいりそうだ。

……持って来な」

と手を振るばかりに、一息にぐっと呷《あお》った。

「あれ、お見事」

と目を睜《みは》って、

「まあな、だけれどな、無理酒おしいなえ。沢山《たんと》、あの、心配する方があるのですやろ」

「お方《かた》、八百屋の勘定は」

と亭主瞬《まばた》きして頤《あご》を出す。女房は面白半分、見返りもしないで、

「取りに来たらお払いやすな」

「ええ……と三百は三銭かい」

で、算盤を空《くう》に弾く。

「女房《おかみ》さん」

と呼んだ門附の声が沈んだ。

「何んです」

「立続《たてつづ》けにもう一つ。そして後を直ぐ、合点《がってん》かね」

「あい。合点でございますが、あんた、豪《えら》い大酒《たいしゅ》ですな」

「せめて酒でも参らずば」

と陽気な声を出しかけたが、つと仰向いて眦《まなじり》を上げた。

「あれ、又来たぜ、按摩の笛が、北の方の辻《つじ》から聞える、……ヤ、そんなに未だ夜は更《ふ》けまいのに、屋根越の町一つ、こう……田圃《たんぼ》の畔《あぜ》かとも思う処でも吹いていら」

と身忙《みぜわ》しそうに片膝立てて、当所《あてど》なく睜《みまわ》しながら、

「音《おと》は同じだが音《ね》が違う……女房《おかみ》さん、どれが、どんな顔《つら》の按摩だね」

と聞く。……その時、白眼《しろまなこ》の座頭の首が、月に蒼《あお》ざめて覗《のぞ》きそうに、屋の棟を高く

見た……目が鋭い。

「あれ、あんた、鹿の雌雄《めすおす》ではあるまいし、笛の音で按摩の容子《ようす》は分りませぬもの」

「真個《まったく》だ」

と寂しく笑った、波々注いだる茶碗の酒を、屹《きっ》と見ながら、

「杯の月を酌《く》もうよ、座頭殿」と差俯《さしうつむ》いて独言《ひとりごと》した。……が博多節の文句か、知らず、陰々として物寂しい。表の障子も裏透くばかり、霜の月の影冴《かげさ》えて、辻に、町に、按摩の笛、その或ものは波に響く。

六

「や、按摩どのか。何んだ、唐突《だしぬけ》に驚かせる。……要らんよ、要りませぬ」

と弥次郎兵衛《やじろべえ》。湊屋の奥座敷、これが上段の間とも見える、次に六畳の附いた中古《ちゅうぶる》の十畳。障子の背後《うしろ》は直ぐに縁、欄干《てすり》にずらりと硝子戸《ガラスど》の外は、水煙《みずけむり》渺《びょう》として、曇らぬ空に雲かと見る、長洲《ながす》の端に星一つ、水に近く晃《き》らめいた、揖斐川《いびがわ》の流の裾《すそ》は、潮《うしお》を籠《こ》めた霧白く、月にも苫《とま》を伏せ、蓑《みの》を乾《ほ》す、繋船《かかりぶね》の帆柱が森差《すくすく》と垣根に近い。其処《そこ》に燭台を傍《かたわら》にして、火桶《ひおけ》に手を懸け、怪訝《けげん》な顔して、

「はて、お早いお着きお草臥《くたび》れ様《さま》で、と茶を一ツ持って出て、年増《としま》の女中が、唯今《ただいま》引

込んだばかりのところ。これから膳《ぜん》にもしょう、酒にもしょうと思う一寸《ちよつと》の隙間《すきま》へ、のそりと出した、あの面《つら》はえ?……

この方《ほう》、あの年増めを見送って、入交《いりかわ》って来るは若いのか、と前髪の正面でも見ようと思えば、霜げた冬瓜《とうがん》に草鞋《わらじ》を打着《ぶちつ》けた、と言う異体な面を、襖《ふすま》の影から斜《はす》に出して、

(按摩でやす)と又、悪く抜衣紋《ぬきえもん》で、胸を折って、横坐りに、蠟燭火《ろうそくび》へ紙火屋《かみぼや》のかかった灯《あかり》の向うへ、ぬいと半身で出た工合が、見越《みこし》入道*の御館《おやかた》へ、目見得《めみえ》の雪女郎*を連れて出た、化《ばけ》の慶庵《けいあん》*と言う体《てい》だ。

要らぬと言えば、黙然《だんまり》で、腰から前《さき》へ、板廊下の暗い方へ、スーと消えたり……怨敵《おんてき》、退散」

と苦笑いして、……床の正面に火桶を抱えた、法然天窓《ほうねんあたま》の、連《つれ》の、その爺様を見遣《みや》って、

「捻平《ねじべい》さん、お互に年は取りたくないてね。些《ち》と三絃《ぺんぺん》でも、とあるべきところを、お膳の前に按摩が出ますよ。……見くびったものではないか」

「とかく、その年効《としがい》もなく、旅籠屋《はたごや》の式台口から、何んと、事も慇懃《いんぎん》に出迎えた、家《うち》の隠居らしい切髪の婆様をじろりと見て、

（ヤヤ、難有い、仏壇の中に美婦《たぼ》が見えるわ、簀《す》の子の天井から落ちたい）＊などと、膝栗毛《ひざくりげ》の書抜きを遣らっしゃるで魔が魅《さ》すのじゃ。屋台は古いわ、造りも広大」

と丸木の床柱を下から見上げた。

「千年の桑かの。川の底も料《はか》られぬ。燈《あかり》も暗いわ、獺《かわうそ》も出ようず。些とこれに懲《こ》りさっしゃるが可《い》い」

「さん候《ぞうろう》、これに懲りぬ事なし」

と奥歯のあたりを膨《ふく》らまして微笑《ほほえ》みながら、両手を懐《ふところ》に、胸を拡《ひろ》く、襖の上なる額を読む。題して曰《いわ》く、臨風榜可小楼《りんぷうぼうかしょうろう》。＊

「……とある、如何様《いかさま》な」

「床に活《い》けたは、白の小菊じゃ、一束にして摑《つか》みざし、喝采《おお》」と讃《ほ》める。

「いや、翁寂《おきなさ》びた事を言うわ」

「それそれ、唯今《たつた》懲りると言うた口の下から、何んじゃ、それは。やあ、見やれ、其《そ》許《こ》の袖口《そでぐち》から、茶色の手の、もそもそとした奴が、ぶらりと出たは、揖斐川の獺の」

「ほい」

と視《なが》めて、

「南無三宝《なむさんぼう》」と、慌《あわただ》しく引込める。

「ははははは、拙者うまれつき粗忽《そこつ》にいたして、よくものを落すところから、内の婆《ばば》どのが計略で、手袋を、ソレ、ト左右糸で繋《つな》いだものさね。袖から胸へ潜《くぐ》らして、ずいと引張って両手へ嵌《は》めるだ。何んと恐しかろう。捻平さん、かくまで身上《しんしょう》を思うてくれる婆どのに対しても、無駄な祝儀《しゅうぎ》は出せませんな。ああ、南無阿弥陀仏《なむあみだぶつ》」

「何んじゃそれは」

「狸《たぬき》めが」

と背を円くして横を向く。

「それ、年増が来る。秘すべし、秘すべし」

で、手袋をたくし込む。

ところへ、女中が手を支《つ》いて、

「御支度をなさりますか」

「いや、漸《やっ》と、今草鞋《わらじ》を解いたばかりだ。泊めて貰うから、支度はしません」*と、真面目に言う。

色は浅黒いが容子《ようす》の可《い》い、その年増の女中が、これには妙な顔をして、

「へい、御飯は召あがりますか」

「先ず酒から飲みます」

「あの、めしあがりますものは？」

「姉さん、此処《ここ》は約束通り、焼蛤《やきはまぐり》が名物だの」

七

「そのな、焼蛤は、今も町はずれの葦簀張《よしずば》りなんぞでいたします。やっぱり松毬《まつかさ》で焼きませぬと美味《おいし》ゅうございませんで、当家《うち》では蒸したのを差上げます、味淋《みりん》入れて味《あじ》美《よ》う蒸します」

「ははあ、栄螺《さざえ》の壺焼《つぼやき》と言った形、大道店で遣《や》りますな。……松並木を向うに見て、松毬のちょろちょろ火、蛤の烟《けむり》がこの月夜に立とうなら、丁《とん》と竜宮の田楽《でんがく》で、乙姫様《おとひめさま》が洒落《しゃれ》に姉《あね》さんかぶりを遊ばそうと云うところ、又一段の趣だろうが、故《わざ》とそれがために忍んでも出られまい。……当家《ここ》の味淋蒸、それが好かろう」

と小父者《おじご》納得した顔して頷《うなず》く。

「では、蛤でめしあがりますか」

「何？」と、故《わざ》とらしく耳を出す。

「あのな、蛤であがりますか」

「いや、箸《はし》で食いやしょう、はははは」

と独《ひとり》で笑って、懐中から膝栗毛の五篇を一冊、ポンと出して、

「難有《ありがた》い」と額を叩《たた》く。

女も思わず噴飯《ふきだ》して、

「あれ、あなたは弥次郎兵衛様でございますな」

「その通り。……この度の参宮には、都合あって五二館《ごにかん》と云うのへ泊ったが、内宮様へ参る途中、古市《ふるいち》の旅籠屋、藤屋の前を通った時は、前度《ぜんど》いかい世話に成った気で、薄暗いまで奥深いあの店頭《みせさき》に、真鍮《しんちゅう》の獅噛《しかみ》火鉢《ひばち》がぴかぴかとあるのを見て、略儀ながら、車の上から、帽子を脱いでお辞儀をして来た。が、町が狭いで、向う側の茶店の新姐《しんぞ》に、この小兀《すこはげ》を見せるのが辛《つら》かったよ」

と燈《あかり》に向けて、てらりと光らす。

「ほほ、ほほ」

「あはは」

で捻平も打笑うと、……この機会に誘われたか――先刻《さつき》二人が着いた頃には、三味線太鼓で、トトン、ジャカジャカじゃじゃじゃんと沸返《わきかえ》るばかりだった――丁度八ツ橋形に歩行板《あゆみいた》が架《かか》って、土間を隔てた隣の座敷に、凡《およ》そ十四五人の同勢で、女交りに騒いだのが、今しがた按摩《あんま》が影を見せた時分から、大河《おおかわ》の汐《しお》に引かれたらしく、一時《ひとしきり》

人気勢《ひとけはい》が、遠くへ裾拡がりに茫《ぼう》と退《の》いて、寂《しん》とした。ただだだっ広い中を、猿が鳴きながら走廻るように、キャキャとする雛妓《おしゃく》の甲走《かんばし》った声が聞えて、重く、ずっしりと、覆《おっ》かぶさる風に、何を話すともなく多人数《たにんず》の物音のしていたのが、この時、洞穴《ほらあな》から風が抜けたように哄《どっ》と動揺《どよ》めく。

女中も笑い引《び》きに、すっと立つ。

「いや、この方《ほう》は陰々としている」

「その方が無事で可《い》いの」

と捻平は火桶の上に脊くぐまって、其処《そこ》へ投出した膝栗毛を差覗《さしのぞ》き、

「しかし思いつきじゃ、私《わし》はどうもこの寐《ね》つきが悪いで、今夜は一つ枕許《まくらもと》の行燈《あんどん》で読んで見ましょう」

「止《よ》しなさい、これを読むと胸が切《せま》って、尚《な》お目が冴《さ》えて寐られなくなります」

「何を言わっしゃる、当事《あてこと》もない、膝栗毛を見て泣くものがあろうかい。私《わし》が事を言わっしゃる、其許《そこ》が余程《よっぽど》捻平じゃ」

と言うところへ、以前の年増に、小女《こおんな》がついて出て、膳と銚子を揃《そろ》えて運んだ。

「蛤は直《じ》きに出来ます」

「可《よし》、可」

「何よりも酒の事」

捻平も、猪口《ちよこ》を急ぐ。

「さて汝《てめえ》にも一つ遣ろう。燗《かん》の可《い》いところを一杯遣らっし」と、弥次郎兵衛、酒飲みの癖で、些《ち》とぶるぶるする手に一杯傾けた猪口を、膳の外へ、その膝栗毛の本の傍《わき》へ、畳の上に丁《ちゃん》と置いて、

「姉さん、一つ酌《つ》いで遣ってくれ」

と真顔で言う。

小女が、きょとんとして顔を見ると、捻平に追っかけの酌をしていた年増が見向いて、

「喜野《きの》、お酌ぎ……その旦那はな、弥次郎兵衛様じゃで、喜多八さんにお杯を上げなさるんや」

と早や心得たものである。

八

小父者《おじご》は何故《なぜ》か調子を沈めて、

「ああ、能《よ》く言った。俺を弥次郎兵衛は有難い。居心は可《よし》、酒は可。これで喜多八さ

え一所だったら、膝栗毛を正《しょう》のもので、太平の民となるところを、さて、杯をさしたばかりで、こう酌《つ》いだ酒へ、蠟燭《ろうそく》の灯《ひ》のちらちらと映るところは、どうやら餓鬼に手向《たむ》けたようだ。あの又馬鹿野郎はどうしている――」と膝に手を支《つ》き、畳の杯を凝《じっ》と見て、陰気な顔する。

捻平も、不図《ふと》、この時横を向いて腕組した。

「旦那、その喜多八さんを何んでお連れなさりませんね」

と愛嬌《あいきょう》造って女中は笑う。弥次郎寂《さみ》しく打笑《うちえ》み、

「むむ、そりゃ何よ、その本の本文にある通り、伊勢の山田ではぐれた奴さ。いい年をして娑婆気《しゃばつけ》な、酒も飲めば巫山戯《ふざけ》もするが、世の中は道中同然。暖いにつけ、寒いにつけ、杖柱《つえはしら》とも思う同伴《つれ》の若いものに別れると、六十の迷児《まいご》に成って、もし、この辺に棚からぶら下がったような宿屋はござりませんかと、賑《にぎや》かな町の中を独りとぼとぼと尋ね飽倦《あぐ》んで、もう落胆《がっかり》しやした、と云ってな、どっかり知らぬ家《うち》の店頭《みせさき》へ腰を落込《おとしこ》んで、一服無心をしたところ……彼処《あすこ》を読むと串戯《じょうだん》ではない。……捻平さん、真から以《もっ》て涙が出ます」

と言う、瞼《まぶた》に映って、蠟燭の火がちらちらちらとする。

「姉《ねえ》や、心《しん》を切ったり」

「はい」

と女中が向うを向く時、捻平も目をしばたたいたが、

「ヤ、あの騒ぎわい」

と鼻の下を長くして、土間越の隣室《となり》へ傾き、

「豪《えら》いぞ、金盥《かなだらい》まで持出いたわ、人間は皆裾《すそ》が天井へ宙乗りして、畳を皿小鉢が踊るそうな。おおおお、三味線太鼓が鎬《しのぎ》を削って打合う様子じゃ」

「もし、お騒がしゅうござりましょう、お気の毒でござります。丁ど霜月でな、今年度の新兵さんが入営なさりますで、その送別会じゃ言うて、彼方此方《あっちこっち》、皆、この景気でござります。でもな、お寐《よ》ります時分には時間に成るで静まりましょう。どうぞ御辛抱なさいまして」

「いやいや、それには及ばぬ、それには及ばぬ」

と小父者《おじご》、二人の女中の顔へ、等分に手を掉《ふ》って、

「却《かえ》って賑かで大きに可《い》い。悪く寂寞《ひっそり》して、又唐突《だしぬけ》に按摩《あんま》に出られては弱るからな」

「へい、按摩がな」と何か知らず、女中も読めぬ顔して聞返す。

捻平この話を、打消すように咳《しわぶき》して、

「さ、一献参ろう。どうじゃ、此方《こちら》へも酌人を些《ち》と頼んで、……ええ、それ何んとか

言うの。……桑名の殿様時雨《しぐれ》でお茶漬……とか言う、土地の唄でも聞こうではないかの。陽気にな、くゎっと一つ。旅の恥は掻棄《かきす》てじゃ。主《ぬし》はソレ叱言《こごと》のような勧進帳《かんじんちょう》*も遣《や》らっしゃい。染めようにも髯《ひげ》は無いで、私《わし》はこれ、手拭《てぬぐい》でも畳んで法然天窓《ほうねんあたま》へ載せようでの」と捻平が坐《すわ》りながら腰を伸《の》して高く居直る。と弥次郎眼《まなこ》を睜《みは》って、

「や、平家以来の謀叛《むほん》、其許《そこ》の発議《ほつぎ》は珍らしい、二方荒神鞍《にほうこうじんくら》なしで、真中へ乗りやしよう」*

と夥《おびただ》しく景気を直して、

「姉《あんね》え、何んでも構わん、四五人木遣《きやり》で曳《ひ》いて来い」

と肩を張って大きに力む。

女中酌の手を差控えて、銚子を、膝《ひざ》に、と真直に立てながら、

「さあ、今彼方《あっち》の座敷で、もう一人二人言うて、お掛けやしたが、喜野、芸妓《げいこ》さんはあったかな」

小女が猪首《いくび》で頷き、

「誰も居やはらぬ言うてでやんした」

「かいな、旦那さん、お気の毒さまでござります。狭い土地に、数のない芸妓やに依って、こうして会なんぞ立込《たてこ》みますと、目星い妓《こ》たちは、ちゃっとの間に皆《みんな》出払いま

す。そうか言うて、東京のお客様に、余《あんま》りな人も見せられはしませずな、容色《きりよう》が好《い》いとか、芸がたぎったとか言うのでござりませぬとなあ……」

「いや、こうなっては、宿賃を払わずに、此方人等《こちとら》夜遁《よにげ》をするまでも、三味線を聞かなきゃ納まらない。眇《めつかち》、いぐちでない以上は、古道具屋からでも呼んでくれ」

「待ちなさりまし。おお、あの島屋の新妓《しんこ》さんならきっと居るやろ。聞いて見や。喜野、ソレお急ぎじゃ、廊下走って、電話へ掛《かか》れや」

九

「持って来い、さあ、何んだ風車」

急に勢の可《い》い声を出した、饂飩屋《うどんや》に飲む博多節の兄哥《あにい》は、霜の上の燗酒《かんざけ》で、月あかりに直ぐ醒《さ》める、色の白いのもそのままであったが、二三杯、呷切《あおつきり》の茶碗酒《ちやわん》で、目の縁へ、颯《さつ》と酔《えい》が出た。

「勝手にピイピイ吹いておれ、でんでん太鼓に笙《しよう》の笛、此方《こつち》あ小児《こども》だ、なあ、阿媽《おつか》。……いや、女房《おかみ》さん、それにしても何かね、御当処は、この桑名と云う所は、按摩の多い所かね」と、笛の音に瞳《ひとみ》がちらつく。

「あんたもな、按摩の目は蠣《かき》や云います。名物は蛤《はまぐり》じゃもの、別に何も、多い訳はないけれど、ここは新地《しんち》なり、旅籠《はたご》屋のある町やに因って、つい、あの衆《しゅ》が、彼方此方《あちこち》から稼《かせ》ぎに来るわな」

「そうだ、成程新地《くるわ》だった」と何故《なぜ》か一人で納得して、気の抜けたような片手を支《つ》く。

「お師匠さん、あんた、これからその音声《のど》を芸妓屋《げいこや》の門《かど》で聞かしてお見やす。真個《ほん》に、人死《ひとじに》が出来ようも知れぬぜな」と襟《えり》の処で、塗盆をくるりと廻す。

「飛んだ合せかがみだね、人死が出来て堪《たま》るものか。第一、芸妓屋《げいしゃや》の前へは、うっかり立てねえ」

「何故え」

「悪くすると敵《かたき》に出会《でつくわ》す」と投首《なげくび》する。

「あれ、芸が身を助けると言う、……お師匠さん、あんた、芸妓《げいこ》ゆえの、お身の上かえ。……真個《ほん》にな、仇《かたき》だすな」

「違った！　芸者の方で、私が敵《かたき》さ」

「あれ、のけのけと、あんな憎いこと言いなさんす」と言うところへ、月は片明りの向う側。狭い町の、ものの気勢《けはい》にも暗い軒下を、からころ、からころ、駒下駄《こまげた》の音が、土間に浸込《しみこ》むように響いて来る。……と直ぐその足許《あしもと》を潜《くぐ》るように、按摩の笛が寂しく聞える。

門附《かどづけ》は屹《きっ》と見た。

「噂《うわさ》をすれば、芸妓はんが通りまっせ。あんた、見たいなら障子を開けやす……そのかわり、敵打たりょうと思うてな」

「ああ、何時《いつ》でも打たれて遣《や》ら。ちょッ、可厭《いや》に煩《うるさ》く笛を吹くない」

かたりと門の戸を外から開ける。

「ええ、吃驚《びっくり》すら」

「今晩は――饂飩六ツ、急いでな」と草履《ぞうり》穿《ば》きの半纏着《はんてんぎ》、背中へ白く月を浴びて、赤い鼻をぬいと出す。

「へい」と筒抜けの高調子で、亭主帳場へ棒に突立ち、

「お方、そりゃ早うせぬかい」

女房は澄ましたもので、

「美しい跫音《あしおと》やな、何処《どこ》の？」と聞く。

「こないだ山田の新町から住替えた、こんの島屋の新妓《しんこ》じゃ」と言いながら、鼻赤の若い衆《しゅ》は、覗《のぞ》いた顔を外に曲げる。

と門附は、背後《うしろ》の壁へ胸を反《そ》らして、一寸《ちょっと》伸上るようにして、戸に立つ男の肩越しに、皎《こう》とした月の廓《くるわ》の、細い通を見透かした。

駒下駄は些《ち》と音低く、未《ま》だ、からころと響いたのである。

「沢山《たんと》出なさるかな」

「まあ、こんの饂飩のようには行かぬで」

「その気で、すぐに届けますえ」

「はい頼んます」と、男は返る。

亭主帳場から背後《うしろ》向きに、日和《ひより》下駄を探って下り、がたりびしりと手当り強く、其《そ》処《こ》へ広蓋《ひろぶた》を出掛《だしか》ける。ははあ、夫婦二人のこの店、気の毒千万、御亭が出前持を兼ねると見えたり。

「裏表とも気を注《つ》けるじゃ、可《え》いか、可いか。一寸道寄りをして来るで、可いか、お方」

と其処等《そこいら》じろじろと睨廻《ねめまわ》して、新地の月に提灯《ちょうちん》いらず、片手懐《ふところ》にしたなりで、亭主が出前、ヤケにがっと戸を開けた、後を閉めないで、ひょこひょこ出て行く。

釜《かま》の湯気が颯《さつ》と分れて、門附の頬に影がさした。

女房横合から来て、

「何時《いつ》まで、うっかり見送ってじゃ、そんなに敵《かたき》が打たれたいの」

「女房《おかみ》さん、桑名じゃあ……芸者の箱屋*は按摩かい」と悚《ぞっ》気としたように肩を細く、この時漸《やっ》と居直って、女房を見た、色が悪い。

十

「そうさ、如何《いか》に伊勢の浜荻《はまおぎ》*だって、按摩の箱屋と云うのはなかろう。私《わたし》もなかろうとは思うが、今向う側を何んとか屋の新妓《しんこ》とか云うのが、からんころんと通るのを、何心なく見送ると、あの、一軒おき二軒おきの、軒行燈《のきあんどん》では浅黄になり、月影では青くなって、薄い紫の座敷着で、褄《つま》を蹴出《けだ》さず、ひっそりと、白い襟を俯向《うつむ》いて、足の運びも進まないように何んとなく悄《しお》れて行く。……その後《あと》から、鼠色の影法師。女の影なら月に地《つち》を這《は》う筈《はず》だに、寒い道陸神《どうろくじん》*が、のそのそと四五尺離れた処《ところ》を、ずっと前方《むこう》まで附添ったんだ。腰附、肩附、歩行《ある》く振《ふり》、捏《でっ》ちて附着《くっつ》けたような不恰好《ぶかっこう》な天窓《あたま》の工合、どう見ても按摩だね、盲人《めくら》らしい、めんない千鳥*よ。……私あ何んだ、だから、按摩が箱屋をすると云っちゃ可笑《おかし》い、盲目《めくら》に成った箱屋かも知れないぜ」

「どんな風の、どれな」

と門《かど》へ出そうにする。

「いや、もう見えない。呼ばれた家へ入ったらしい。二人とも、ずっと前方《さき》で居なくなった。そうか。ああ、盲目《めくら》の箱屋は居ねえのか。ア又殖えたぜ……影がさす、笛の音に影がさす、按摩の笛が降るようだ。この寒い月に積ったら、桑名の町は針の山に成るだろう、堪《たま》らねえ」

とぐいと呷《あお》って、

「ええ、ヤケに飲め、一杯どうだ、女房《おかみ》さん附合いねえ。御亭主は留守だが、明放《あけつぱな》しよ、……構うものか。それ向う三軒の屋根越に、雪坊主のような山の影が覗いてら」

と門《かど》を振向き、あ、と叫んで、

「来た、来た、来た、来やあがった、来やあがった、按摩々々、按摩」

と呼吸《いき》も吐《つ》かず、続け様に急込《せきこ》んだ、自分の声に、町の中に、ぬい、と立って、杖《つえ》を脚許へ斜交《はすつか》いに突張りながら、目を白く仰向いて、月に小鼻を照らされた流しの按摩が、呼ばれたものと心得て、そのまま凍附《いてつ》くように立留まったのも、門附はよく分らぬ状《さま》で、

「影か、影か、阿媽《おつか》、真個《ほんと》の按摩か、影法師か」

と激しく聞く。

「真個なら、どうおしる。貴下《あんた》、そんなに按摩さんが恋しいかな」

「恋しいよ！　ああ」

と呼吸を吐いて、見直して、眉《まゆ》を顰《ひそ》めながら、声高《こわだか》に笑った。

「はははは、按摩にこがれてこの体《てい》さ。おお、按摩さん、按摩さん、さあ入ってくんねえ」

門附は、撥《ばち》を除《の》けて、床几《しょうぎ》を叩《たた》いて、

「一つ頼もう。女房《おかみ》さん、済まないが一寸《ちょいと》借りるぜ」

「この畳へ来て横にお成りな。按摩さん、お客だす、あとを閉めておくんなさい」

「へい」

コトコトと杖の音。

「ええ……丁《とん》と早や、影法師も同然なもので」と掠《かす》れ声を白く出して、黒いけんちゅう羊羹色《ようかんいろ》の被布《ひふ》を着た、燈《ともしび》の影は、赤くその皺《しわ》の中へさし込んだが、日和下駄から消えても失せず、片手を泳ぎ、片手で酒の香《か》を嗅分《かぎわ》けるように入った。

「聞えたか」

とこの門附、権《けん》のあるものいいで、五六本銚子の並んだ、膳《ぜん》を又傍《わき》へずらす。

「へへへ」と一寸《ちょいと》鼻をすすって、ふん、とけなりそうに香《*におい》を嗅ぐ。

「待ちこがれたもんだから、戸外《そと》を犬が走っても、按摩さんに見えたのさ。こう、悪く言うんじゃないぜ……其処へぬっくりと顕《あらわ》れたろう、酔ってはいる、幻かと思った」

「真個《ほん》に待兼ねていなさったえ。あの、笛の音ばかり気にしなさるので、私もどうやら解《よ》めなんだが、漸《やっ》と分ったわな、何んともお待遠でござんしたの」

「これは、おかみさま、御繁昌」

「お客はお一人じゃ、ゆっくり療治してあげておくれ。それなりにお寐《よ》ったら、お泊め申そう」

と言う。

按摩どの、けろりとして、

「ええ、その気で、念入りに一ツ、摑《つかま》りましょうで」と我が手を握って、拉《ひし》ぐように、ぐいと揉《も》んだ。

「へい、旦那」

「旦那じゃねえ、ものもらいだ」と又呷《あお》る。

女房が竊《そっ》と睨《にら》んで、

「滅相な、あの、言いなさる」

十一

「いや、横になるどころじゃない、沢山だ、此処《ここ》で沢山だよ。……第一背中へ摑まられて、一呼吸《ひといき》でも応《こた》えられるかどうだか、実はそれさえ覚束《おぼつか》ない。悪くすると、そのまま目を眩《まわ》して打倒《ぶったお》れようも知れんのさ。体《てい》よく按摩さんに掴み殺されると云った形だ」

と真顔で言う。

「飛んだ事をおっしゃりませ、田舎でも、これでも、長年年期を入れました杉山流*のものでござります。これ鳩尾《きゅうび》に鍼《はり》をお打たせになりましても、でも、決して間違いのあるようなものではござりませぬ」と呆《あき》れたように、按摩の剥《む》く目は蒼《あお》かりけり。

「うまい、まずいを言うのじゃない。何時《いつ》の幾日《いつか》にも何時《なんどき》にも、洒落《しゃれ》にもな、生れてから未だ一度も按摩さんの味を知らないんだよ」

「まあ、あんなにあんた、こがれなさった癖に」

「そりゃ、張って張って仕様がないから、目にちらつくほど待ったがね、いざ……と成ると初産《ういざん》です、灸《きゅう》の皮切も同じ事さ。どうにも勝手が分らない、痛いんだか、痒《かゆ》いんだか、風説《うわさ》に因《よ》ると擽《くすぐ》ったいとね。多分私も擽ったかろうと思う。……ところが生憎《あい》《にく》、母親《おふくろ》が操正しく、これでも密夫《まおとこ》の児じゃないそうで、その擽ったがりようこの上なし。……あれ、あんなあの、握飯を拵《こさ》えるような手附をされる、とその手で揉《も》まれるかと思ったばかりで、もう堪《たま》らなく擽ったい。どうも、ああ、こりゃ不可《いけね》え」

と脇腹へ両肱《りょうひじ》を、しっかりついて、掻竦《かいすく》むように背筋を捻《よ》る。

「はははは、これはどうも」と按摩は手持不沙汰《ぶさた》な風。

女房更《あらた》めて顔を覗いて、

「何んと、まあ、可愛《かわい》らしい」

「同じ事を、可哀相《かわいそう》だ、と言ってくんねえ。……そうかと言って、こう張っちゃ、身も皮も石に成って固《かたま》りそうな、背《せなか》が詰って胸は裂ける……揉んで貰わなくては遣切《やりき》れない。遣れ、構わない」

と激しい声して、片膝《かたひざ》を屹《きっ》と立て、

「殺す気で蒐《かか》れ、此方《こっち》は覚悟だ、さあ。ときに女房《おかみ》さん、袖摺《そです》り合うのも他生《たしょう》の縁ッさ。旅空掛けてこうした御世話を受けるのも前《さき》の世の何かだろう、何んだか、おなごりが惜《おし》いんです。摑殺《つかみころ》されりゃそれきりだ、も一つ憚《はばか》りだがついでおくれ、別れの杯に成ろうも知れん」

と雫《しずく》を切って、ついと出すと、他愛なさも余《あんま》りな、目の色の変りよう、眦《まなじり》も屹と成ったれば、女房は気を打たれ、黙然《だんまり》で唯目《ただ》を睜《みは》る。

「さあ按摩さん」

「ええ」

「女房《おかみ》さん酌《つ》いどくれよ！」

「はあ」と酌をする手が些《ち》と震えた。

この茶碗を、一息に仰ぎ干すと、按摩が手を掛けたのと一緒であった。

がたがたと身震いしたが、面《おもて》は幸に紅潮して、

「ああ、腸《はらわた》へ沁透《しみとお》る！」

「何かその、何事か存じませぬが、按摩は大丈夫でございます」と、これもおどつく。

「先《ま》ず」

と突張った手をぐたりと緩めて、

「生命《いのち》に別条は無さそうだ、しかし、しかし応える」

とがっくり俯向いたのが、ふらふらした。

「月は寒し、炎のようなその指が、火水と成って骨に響く。胸は冷い、耳は熱い。肉《み》は燃える、血は冷える。あっ」と言って、両手を落した。

吃驚《びっくり》して按摩が手を引く、その嘴《くちばし》や鮹《たこ》に似たり。

兄哥《あにい》は、確乎《しっかり》起直って、

「いや、手をやすめず遣ってくれ、あわれと思って静に……よしんば徐《そっ》と揉まれたところで、私は五体が砕ける思いだ。

その思いをするのが可厭《いや》さに、種々《いろいろ》に悩んだんだが、避《よ》ければ摺着《すりつ》く、過ぎれば引張る、逃げれば追う。形が無ければ声がする……ピイピイ笛は攻太鼓だ。こう犇々《ひしひし》と寄着《よっつ》かれちゃ、弱いものには我慢が出来ない。淵《ふち》に臨んで、崕《がけ》の上に瞰《み》下《お》ろして踏留《ふみとど》まる胆玉《きもだま》のないものは、一層《いっそ》の思い、真逆《まっさかさま》に飛込みます。破れかぶれよ、按摩さん。従兄弟再従兄弟《いとこはとこ》か、伯父甥《おい》か、親類なら、さあ、敵《かたき》を取れ。私はね、……お仲間の按摩を一人殺しているんだ」

十二

「今から丁ど三年前。……その年は、この月から一月後《ひとつきおくれ》の師走《しわす》の末に、名古屋へ用があって来た。序《ついで》と言っては悪いけれど、稼《かせぎ》の繰廻しがどうにか附いて、参宮が出来ると言うのも、お伊勢様の思召《おぼしめし》、冥加《みょうが》のほど難有《ありがた》い。ゆっくり古市《ふるいち》に逗留《とうりゅう》して、それこそ次手《ついで》に、……浅熊山《あさまやま》の雲も見よう、鼓《つづみ》ヶ岳《たけ》の調《しらべ》も聞こう。二見《ふたみ》じゃ初日を拝んで、それから堺橋《さかいばし》から、池の浦、沖の島で空が別れる、上郡《かみごおり》から志摩へ入って日和山《ひよりやま》を見物する。……海が凪《な》いだら船を出して、伊良子《いらこ》ヶ崎《さき》の海鼠《なまこ》で飲もう、何でも五日六日は逗留と云うつもりで。……山田では尾上町《おのえちょう》の藤屋へ泊った。驚くべからず――まさかその時は私だって、浴衣《ゆかた》に袷《あわせ》じゃいやしない。

着換えに紋付の一枚も持った、縞《しま》で襲衣《かさね》の若旦那さ。……ま、こう、雲助が傾城買《けいせいがい》の昔を語る……*負惜《まけおし》みを言うのじゃないよ。何も自分の働きでそうした訳じゃないのだから。——聞きねえ、親なり、叔父なり、師匠なり、恩人なりと言う、……私が稼《か》業《ぎょう》じゃ江戸で一番、日本中の家元の大黒柱と云う、少兀《すこはげ》の苦い面《つら》した阿父《おやじ》がある。いや、その顔色《がんしょく》に似合わない、気さくに巫山戯《ふざけ》た江戸児《えどっこ》でね。行年《ぎょうねん》その時六十歳を、三つと刻んだはおかしいが、数え年のサバを算《よ》んで、私が代理に宿帳をつける時は、天地人とか何んとか言って、禅の問答をするように、指を三本、ひょいと出してギロリと睨む……五十七歳とかけと云うのさ。可《い》いかね、その気だもの……旅籠屋《はたごや》の女中が出てお給仕をする前では、阿父《おとっ》さんが大の禁句さ。……与一兵衛*じゃあるめえし、汝《てめえ》、定九郎《さだくろう》のように呼ぶなえ、と唇を捻曲《ねじま》げて、叔父さんとも言わせねえ、兄さんと呼べ、との御意だね。

この叔父さんのお供だろう。道中の面白さ。酒はよし、景色はよし、日和《ひより》は続く。何処《どこ》へ行っても女はふらない、師走の山路《やまじ》に、嫁菜《よめな》が盛りで、然《しか》も大輪《おおりん》が咲いていた。

と此《こ》の桑名、四日市、亀山と、伊勢路へ掛った汽車の中から、おなじ切符の誰彼が——その催《もよおし》について名古屋へ行った、私たちの、まあ……興行か……その興行の風説《うわさ》をする。嘘《うそ》にもどうやら、私の評判も可さそうな。叔父は固《もと》より。……何事も言うには及ばん。——私が口で饒舌《しゃべ》っては、流儀の恥に成ろうから、まあ、何某《なにがし》と言ったばかりで、世間は承知すると思って、聞きねえ。

ところがね、その私たちの事を言う次手《ついで》に、この伊勢へ入ってから、きっと一所に出る、人の名がある。可いかい、山田の古市に惣市《そういち》と云う按摩鍼《あんまはり》だ」

門附はその名を言う時、うっとりと瞳《ひとみ》を据えた。背《せなか》を抱《いだ》くように背後《うしろ》に立った按摩にも、床几《しょうぎ》に近く裾《すそ》を投げて、向うに腰を掛けた女房にも、目もくれず、凝《じっ》と天井を仰ぎながら、胸前《むなさき》にかかる湯気を忘れたように手で捌《さば》いて、

「按摩だ、がその按摩が、旧《もと》はさる大名に仕えた士族の果で、聞きねえ。私等が流儀と、同《おな》じその道の芸の上手《じょうず》。江戸の宗家《そうけ》も、本山も、当国古市に於《お》いて、一人で兼ねたり、と言う勢で、自から宗山と名《な》の告る天狗《てんぐ》。高慢も高慢だが、また出来る事も出来る。……東京の本場から、誰も来て怯《おびや》かされた。某《それがし》も参って拉《ひし》がれた。あれで一眼《いちがん》でも有ろうなら、三重県に居る代物《しろもの》ではない。今度名古屋へ来た連中もそうじゃ、贋物《にせもの》ではなかろうから、何も宗山に稽古《けいこ》をして貰《もら》えとは言わぬけれど、鰻《うなぎ》の他《ほか》に、鯛がある、味を知って帰れば可《い》いに。——と才発《さいはじ》けた商人風《あきんどふう》のと、でっぷりした金の入歯の、土地の物持とも思われる奴の話したのが、風説《うわさ》の中でも耳に付いた。

叔父はこくこく坐睡《いねむり》をしていたっけ。私《わっし》あ若気《わかぎ》だ、襟巻《えりまき》で顔を隠して、睨むように

二人を見たのよ、ね。

宿の藤屋へ着いてからも、故《わざ》と、叔父を一人で湯へ遣《や》り……女中にも一寸聞く。……挨拶《あいさつ》に出た番頭にも、按摩の惣市、宗山と云う、これこれした芸人がいるか、と聞くと、誰の返事も同じ事。思ったよりは高名で、現に、この頃も藤屋に泊った、何《なに》某侯《がしこう》の御隠居の御召《おめし》に因《よ》って、上下《かみしも》で座敷を勤《し》た時、(さてもな、鼓ヶ丘が近い所為《せい》か、これほどの松風は、東京でも聞けぬ)と御賞美。*

(的等《てきら》にも聞かせたい)と宗山が言われます、とちょろりと饒舌った。私《わっし》が夥間《なかま》を、

(的等)と言う。

的等の一人《にん》、かく言う私《わたし》だ……」

——

十三

「尚《な》お聞けば、古市のはずれに、その惣市、小料理屋の店をして、妾《めかけ》の三人もある、大した勢だ、と言うだろう。——何を!……按摩の分際で、宗家の、宗の字、この道の、本山が凄《すさま》じい。

こう、按摩さん、舞台の差*は堪忍《かに》してくんな」

と、窃《そっ》と痛そうに胸を圧《おさ》えた。

「後で、能《よ》く気がつけば、信州のお百姓は、東京の芝居なんぞ、真個《ほんと》の猪《しし》はないとて威張る。……な、宮重《みやしげ》大根が日本一なら、蕪《かぶ》の千枚漬も皇国無双で、早く言えば、この桑名の、焼蛤も三都無類さ。*

その気でいれば可《い》いものを、二十四の前厄《まえやく》なり、若気《わかげ》の一図《いちず》に苛々《いらいら》して、第一その宗山が気に入らない。(的等)もぐっと癪《しゃく》に障れば、妾三人で赫《かっ》とした。

維新以来の世がわりに、……一時《ひとしきり》私等の稼業《かぎょう》がすたれて、夥間が食うに困ったと思え。弓矢取っては一万石、大名株の芸人が、イヤ楊子《ようじ》を削る、かるめら焼を露店で売る。……蕎麦屋《そばや》の出前持に成るのもあり、現在私がその小父者《おじご》などは、田舎の役場に小使いをして、濁り酒のかすに酔って、田圃《たんぼ》の畝《あぜ》に寝たもんです。……

その妹だね、可《い》いかい、私の阿母《おふくろ》が、振袖の年頃を、困るところへ附込んで、小金を溜《た》めた按摩めが、些《ちっ》とばかりの貸を枷《かせ》に、妾にしょう、と追い廻わす。——危《あぶな》く駒《こま》下駄《げた》を踏返して、駕籠《かご》でなくっちゃ見なかった隅田川へ落ちようとしたっさ。——その話にでも嫌いな按摩が。

ええ。

待て、見えない両眼で、汝《うぬ》が身の程を明《あか》る見るよう、療治を一つしてくりょう。

で、翌日《あくるひ》は謹んで、参拝した。

その尊さに、その晩ばかりは些《ちっ》との酒で宵寝《よいね》をした、叔父の夜具の裾を叩《たた》いて、枕《まくら》許《もと》へ水も置き、

（女中、其処等《そこいら》へ見物に）

と言った心は、穴を圧えて、宗山を退治る料簡《りょうけん》。

と出た、風が荒い。荒いがこの風、五十鈴川《いすずがわ》で劃《かぎ》られて、宇治橋の向うまでは吹くまいが、相の山の長坂を下から哄《どっ》と吹上げる……これが悪く生温《なまぬる》くって、灯《あかり》の前じゃ砂が黄色い。月は雲の底に淀《どんよ》りしている。神路山《かみじやま》の樹は蒼《あお》くても、二見の波は白かろう。酷《ひど》い勢、ぱっと吹くので、たじたじと成る。帽子が飛ぶから、そのまま、藤屋が店へ投返した……と背筋へ孕《はら》んで、坊さんが忍ぶように羽織の袖が飜々《ひらひら》する。着替えるのも面倒で、昼間のなりで、神詣《かみもう》での紋付さ。――袖畳みに懐中《ふところ》へ捻込んで、何の洒落《しゃれ》にか、手拭《てぬぐい》で頬被《ほおかぶ》りをしたもんです。

門附《かどづけ》に成る前兆さ、状《ざま》を見やがれ」と片手を袖へ、二の腕深く突込んだ。片手で狙《ねら》うように茶碗《ちゃわん》を圧えて、

「ね、古市へ行くと、まだ宵だのに寂然《ひっそり》している。……軒が、がたぴしと鳴って、軒《のき》行燈《あんどん》がばッばッ揺れる。三味線の音もしたけれど、吹さらわれて大屋根へ猫の姿でけ

し飛ぶようさ。何の事はない、今夜のこの寂しい新地へ、風を持って来て、打着《ぶっつ》けたと思えば可《い》い。

一軒、地《つち》の些《ち》と窪《くぼ》んだ処《ところ》に、溝板《どぶいた》から直ぐに竹の欄干《てすり》に成って、毛氈《もうせん》の端は刎上《はねあが》り、畳に赤い島が出来て、洋燈《ランプ》は油煙に燻《くすぶ》ったが、真白に塗った姉さんが一人居る、空気銃、吹矢の店へ、ひょろりとして引掛ったね。

取着《とっつ》きに、肱《ひじ》を支《つ》いて、怪しく正面に眼《まなこ》の光る、悟った顔の達磨様《だるまさま》と、女の顔とを、七分三分に狙いながら、

（この辺に宗山ッて按摩は居るかい）と此処《ここ》で実は様子を聞く気さ。押懸けて行こうたって些《ちっ》とも勝手が知れないから。

（先生様かね、いらっしゃります）と何と、（的等《てきら》）の一人に、先生を、然も、様づけに呼ぶだろう。

（実は、その人の何を、一つ、聞きたくって来たんだが、誰が行っても頼まれてくれるだろうか）

と尋ねると、大熨斗《おおのし》を書いた幕の影から、色の蒼い、鬢《びん》の乱れた、痩《や》せた中年増《ちゅうどしま》が顔を出して、

（知己《ちかづき》のない、旅の方にはどうか知らぬ、お望なら、内から案内して上げましょう

か）と言う。

茶代を奮発《はず》んで、頼むと言った。

（案内して上げなはれ、可い旦那や、気を付けて）と目配《めくばせ》をする、……と雑作はない、その塗ったのが、いきなり、欄干を跨《また》いで出る奴さ」

十四

「両袖《りょうそで》で口を塞《ふさ》いで、風の中を俯向《うつむ》いて行く。……その女の案内で、つい向う路地を入ると、何処も吹附けるから、戸を鎖《さ》したが、怪しげな行燈の煽《あお》って見える、ごたごたした両側の長屋の中に、溝板の広い、格子戸《こうしど》造りで、この一軒だけ二階屋。軒に、御《お》手軽御《おん》料理としたのが、宗山先生の住居《すまい》だった。

（お客様）と云う女の送りで、ずッと入る。直ぐ其処《そこ》の長火鉢を取巻いて、三人ばかり、変な女が、立膝《たてひざ》やら、横坐りやら、猫板に頬杖《ほおづえ》やら、料理の方は隙《ひま》らしい。……

上框《あがりがまち》の正面が、取着《とっつ》きの狭い階子《はしご》段です。

（座敷は二階かい）と突然頬被《いきなりほおかむり》を取って上ろうとすると、風立《だ》つので燈《あかり》を置かない。真暗だから一寸待って、と色めいてざわつき出す。とその拍子に風のなぐれで、奴等の上の釣洋燈《つりランプ》がぱっと消えた。

其処へ、中仕切の障子が、次の室《ま》の燈《あかり》にほのめいて、二枚見えた。真中へ、ぱっと映ったのが、大坊主の額の出た、唇の大《おお》い影法師。むむ、宗山め、居るな、と思うと、憎い事には……影法師の、その背中に摑《つか》まって、坊主を揉《も》んでるのが華奢《きやしゃ》らしい島田髷《まげ》で、この影は、濃く映った。

火燧々々《マッチマッチ》、と女どもが云う内に、

(えへん)と咳《せきばらい》を太くして、大《おお》きな手で、灰吹を持上げたのが見えて、離れて烟管《きせる》が映る。――もう一倍、その時図体が拡《ひろ》がったのは、袖を開いたらしい。此奴《こいつ》、寝《ね》ん寝《ね》子《こ》の広袖《どてら》を着ている。

漸《やっ》と台洋燈《だいランプ》を点《つ》けて、

(お待遠でした、さあ)

って二階へ。吹矢の店から送って来た女はと、中段から一寸見ると、両膝をずしりと、其処《そこ》に居た奴の背後《うしろ》へ火鉢を離れて、俯向いて坐った。

(あの娘《こ》で可いのかな、他《ほか》にもござりますよって)

と六畳の表座敷で低声《こごえ》で言うんだ。――ははあ、商売も大略《あらまし》分った、と思うと、其奴《そいつ》が、

(お誂《あつらえ》は)

と大な声。

（あっさりしたもので一寸一口、其処で……）

実は……御主人の按摩さんの、咽喉《のど》が一つ聞きたいのだ、と話した。

（咽喉？）……と其奴がね、異《おつ》に蔑《さげす》んだ笑い方をしたものです。

（先生様の……でございますか、早速そう申しましょう）

で、地獄の手曳《てびき》め、急に衣紋《えもん》繕いをして下りる。少時《しばらく》して上って来た年紀《とし》の少《わか》い十六七が、……こりゃどうした、よく言う口だが芥溜《はきだめ》に水仙です、鶴です。帯も襟も唐《とう》縮緬《ちりめん》じゃあるが、もみじのように美しい。結綿《いいわた》のふっくりしたのに、浅黄《あさぎ》鹿《か》の子《こ》の紋《しぼ》高《だか》な手柄を掛けた。やあ、三人あると云う、妾の一人か。おおん神の、お膝許《ひざもと》で沙汰の限りな！　宗山坊主の背中を揉んでた島田髷の影らしい。惜しや、五十鈴川の星と澄んだその目許も、鯰《なまず》の鰭《ひれ》で濁ろう、と可哀《あわれ》に思う。この娘が紫の袱紗《ふくさ》に載せて、薄茶を持って来たんです。

いや、御本山の御見識、その咽喉を聞きに来たと成ると……客に先《ま》ず袴《はかま》を穿《は》かせる仕向《しむけ》をするな、真剣勝負面白い。で、此方《こっち》も勢、懐中《ふところ》から羽織を出して着直したんだね。

やがて、又持出した、杯と云うのが、朱塗に二見《ふたみ》ヶ浦《うら》を金蒔絵《きんまきえ》した、杯台《さかずきだい》に構えたのは凄《すご》かろう。

（先ず一ツ上って、此方《こっち》へ）

と按摩の方から、この杯の指図をする。その工合が、謹んで聞け、と云った、頗《すこぶ》る権高なものさ。

どかりと其処へ構え込んだ。その容子《ようす》が膝も腹もずんぐりして、胴中ほど咽喉が太い。耳の傍《わき》から眉間《みけん》へ掛けて、小蛇のように筋が畝《うね》くる、眉《まゆ》が薄く、鼻がひしゃげて、ソレその唇の厚い事、お剰《まけ》に頬骨がギシと出て、歯を噛《か》むとガチガチと鳴りそう。左の一眼《いちがん》べとりと盲《し》い、右が白眼《しろまなこ》で、ぐるりと飜《かえ》った、然も一面、念入の黒痘瘡《くろあばた》だ。が、争われないのは、不具者《かたわ》の相格《そうごう》、肩つきばかりは、みじめらしく悄乎《しょんぼり》して、猪《い》の熊《くま》入道もがっくり投首《なげくび》の抜衣紋《ぬきえもん》でいたんだよ」

十五

「否《いえ》な、何も私が意地悪を言うわけではないいえ」

と湊屋《みなとや》の女中、前垂の膝を堅くして——傍《かたわら》に柔かな髪の房《ふっさ》りした島田の鬢《びん》を重そうに差俯向く……襟足白く冷たそうに、水紅色《ときいろ》の羽二重《はぶたえ》の、無地の長襦袢《ながじゅばん》の肩が辷《すべ》って、寒げに背筋の抜けるまで、嫋《なよ》やかに、打悄《うちしお》れた、残んの嫁菜花《よめな》の薄紫、浅黄のよ

うに目に淡い、藤色縮緬《ちりめん》の二枚着で、姿の寂しい、二十《はたち》ばかりの若い芸者を流眄《しりめ》に掛けつつ、

「このお座敷は貰うて上げるから、なあ和女《あんた》、もうちゃっと内へお去《い》にゃ。……島家《しまや》の、あの三重さんやな、和女、お三重さん、お帰り！」

と屹《きっ》と言う。

「お前さんがおいでやで、ようお客さんの御機嫌を取ってくれるであろうと、小女《こおんな》ばかり附けて置いて、私が勝手へ立違うている中《うち》や、……勿体《もったい》ない、お客たちの、お年寄なが気に入らぬか、近頃山田から来た言うて、此方《こち》の私の許《とこ》を見くびったか、酌をせい、と仰有《おっしゃ》っても、浮々とした顔はせず……三味線聞こうとおっしゃれば、鼻の頭《さき》で笑うたげな。傍《そば》に居た喜野が見兼て、私の袖を引きに来た。

先刻《さっき》から、ああ、こうと、口の酸《す》くなるまで、機嫌を取るようにして、私が和女《あんた》の調子を取って、よしこの*一つ上方唄《かみがたうた》でも、どうぞ三味線の音《ね》をさしておくれ。お客様がお寂しげな、座敷が浮かぬ、お見やんせ、蠟燭《ろうそく》の灯《ひ》も白けると、頼むようにして聞かいても、知らぬ、知らぬ、と言通す。三味線は和女、禁物か。下手や言うて、知らぬ云うて、曲《まがり》なりにもお座つき*一つ弾《ひ》けぬ芸妓《げいこ》が何処《どこ》にある。よう、思うてもおみ。平《ひら》の座敷か、そでないか、貴客《あなた》がたのお人柄を見りゃ分るに、

何で和女、勤める気や。私が済まぬ。さ、お立ち。ええ、私が箱を下げて遣《や》るから」と優しいのがツンと立って、襖際《ふすまぎわ》に横にした三味線を邪険に取って、衝《つ》と縦様《たてざま》に引立てる。

「あれ」

はっと裳《もすそ》を搯《す》らして、取縋《とりすが》るように、女中の膝を窃《そっ》と抱き、袖を引き、三味線を引留めた。お三重の姿は崩るる如《ごと》く、芍薬《しゃくやく》の花の散るに似て、

「堪忍《かんにん》して下さいまし、堪忍して、堪忍して」と、呼吸《いき》の切れる声が湿《うる》んで、

「お客様にも、このお内へも、な、何で私が失礼しましょう。真個《ほんと》に、あの、真個に三味線は出来ませんもの、姉さん」

と言《ことば》が途絶えた。……

「今しがたも、な、他家《よそ》のお座敷、隅の方に坐っていました。不断ではない、兵隊さんの送別会、大陽気に騒ぐのに、芸のないものは置かん、衣服《きもの》を脱いで踊るんなら可《よし》、可厭《いや》なら下げると……私一人帰されて、主人の家《うち》へ戻りますと、直ぐに酷《ひど》いめに逢《あ》いました、え。

三味線も弾けず、踊りも出来ぬ、座敷で衣物《きもの》が脱げないなら、内で脱げ、引剝《ひっぱ》ぐと、な、帯も何も取られた上、台所で突伏《つっぷ》せられて、引窓を故《わざ》と開けた、寒いお月様のさ

す影で、恥かしいなあ、柄杓《ひしゃく》で水を立続《たてつづ》けて乳へも胸へもかけられましたの。此方《こちら》から、あの、お座敷を掛けて下さいますと、どうでしょう、炬燵《こたつ》で温めた襦袢を着せて、東京のお客じゃそうなと、な、取って置きの着物を出して、能《よ》う勤めて帰れや言うて、御主人が手で、駒下駄《こまげた》まで出すんです。

勤めるたって、どうしましょう……踊は立って歩行《ある》くことも出来ませんし、三味線は、それが姉さん、手を当てれば誰にだって、音のせぬ事はないけれど、弾いて聞かせとおっしゃるもの、どうして私唄えます。……

不具《かたわ》でもないに情ない。調子が自分で出来ません。何をどうして、お座敷へ置いて頂けようと思いますと、気が怯《ひ》けて気が怯けて、口も満足利《き》けませんから、何が気に入らないで、失礼な顔をすると、思い遊ばすのも無理はない、なあ。……

このお家へは、お台所で、洗い物のお手伝をいたします。姉さん、え、姉さん」

と袖を擦《さす》って、一生懸命、うるんだ目許を見得もなく、仰向けに成って女中の顔。

……色が見る見る柔《やわら》いで、突いて立った三味線の棹《さお》も撓《たわ》みそうに成った、と見ると、二人の客へ、向直った、ふっくりとある綾《あや》の帯の結目で、尚《な》おその女中の袂《たもと》を圧《おさ》えて。

……

十六

お三重は、そして、更《あらた》めて二箇《ふたり》の老人に手を支《つ》いた。

「芸者でお呼び遊ばした、と思いますと……お役に立たず、極《きま》りが悪うございまして、お銚子《ちょうし》を持ちますにも手が震えてなりません。下婢《おさん》をお傍《そば》へお置き遊ばしたとお思いなさいまして、お休みになりますまでお使いなすって下さいまし。お背中を敲《たた》きましょう、な、どうぞな、お肩を揉まして下さいまし。それなら一生懸命にきっと精を出します」

と惜気《おしげ》もなく、前髪を畳につくまで平伏《ひれふ》した。三指《みつゆび》づきの折りかがみが、こんな中でも、打上る。

本を開いて、道中の絵をじろじろと黙って見ていた捻平《ねじべい》が、重くるしい口を開けて、

「子孫末代よい意見じゃ、旅で芸者を呼ぶなぞは、のう、お互に以後謹もう……」と火箸《ひばし》に手を置く。

所在なさそうに半眼で、正面《まとも》に臨風榜可小楼《りんぷうぼうかしょうろう》を仰ぎながら、程を忘れた巻莨《まきたばこ》、この時、口許へ火を吸って、慌《あわ》てて灰へ抛《ほう》って、弥次郎兵衛は一つ咽《む》せた。

「ええ、いや、女中、……追って祝儀《しゅうぎ》はする、此処《ここ》でと思うが、その娘《こ》が気が詰ろう

から、何処か小座敷へ休まして皆《みんな》で饂飩《うどん》でも食べてくれ。私が驕《おご》る。で、何か面白い話をして遊ばして、やがて可《い》い時分に帰すが可《い》い」と、冷くなった猪口《ちよこ》を取って、寂《さみ》しそうに衝《つ》と飲んだ。

女中は、これよりさき、支《つ》いて突立ったその三味線を、次の室《ま》の暗い方へ密《そっ》と押遣《おしや》って、がっくりと筋が萎《な》えた風に、折重なるまで摺寄《すりよ》りながら、黙然《だんま》りで、燈《ともしび》の影に水の如く打揺《うちゆら》ぐ、お三重の背中を擦《さす》っていた。

「島屋の亭が、そんな酷い事をしおるかえ。可いわ、内の御隠居にそう言って、沙汰をして上げよう。心安う思うておいで、真個《ほん》にまあ、よう和女《あんた》、顔へ疵《きず》もつけんの」

と、かよわい腕《かいな》を撫下《なでお》ろす。

「ああ、それも売物じゃ言うだけの斟酌《しんしゃく》に違いないな。……お客様に礼言いや。さ、そして、何かを話しがてら、御隠居の炬燵《こたつ》へおいで。切下髪《きりさげがみ》に頭巾《ずきん》被《かぶ》って、丁度な、羊羹《ようかん》切って、茶を食べてや」

「けども」

とお三重の、その清らかな襟許《えりもと》から、優しい鬢毛《びんのけ》を差覗《さしのぞ》くように、右瞻左瞻《とみこうみ》て、

「和女、因果やな、真個《ほんと》に、三味線は弾けぬかい。ペンともシャンとも」

で、故《わざ》と慰めるように吻々《ほほ》と笑った。

人の情に溶けたとみえる……氷る涙の玉を散らして、はっと泣いた声の下で、

「はい、願掛けをしましても、塩断ちまでしましたけれど、どうしても分りません、調子が一つ出来ません。性来《うまれつき》でござんしょう」

師走《しわす》の闇夜《やみよ》に白梅の、面《おもて》を蠟に照らされる。

「踊もかい」

「は……い」

「泣くな、弱虫、さあ一つ飲まんか！　元気をつけて。向後何処《どこ》へか呼ばれた時は、怯《おび》えるなよ。気の持ちようでどうにも成る。ジャカジャカと引鳴らせ、糸瓜《へちま》の皮で掻《か》き廻《まわ》すだ。＊琴も胡弓《こきゅう》も用はない。銅鑼鐃鈸《どらにょうはち》を叩《たた》けさ。簫《しょう》の笛をピイと遣れ、上手下手は誰にも分らぬ。それなら芸なしとは言われまい。踊が出来ずば体操だ。一」

と左右へ、羽織の紐《ひも》の断《き》れるばかり大手を拡《ひろ》げ、寛濶《かんかつ》な胸を反《そ》らすと、

「二よ」と、庄屋殿が鉄砲二つ、＊ぬいと前へ突出《つきだ》いて、励ます如く呵々《からから》と弥次郎兵衛、

「これ、その位な事は出来よう。いや、それも度胸だな。見たところ、そのように気が弱くては、如何《いか》な事も遣つけられまい、可哀相《かわいそう》に」と声が掠《かす》れる。

「あの……私が、自分から、言います事は出来ません、お恥しいのでございますが、舞の真似《まね》が少しばかり立てますの、それも唯《ただ》一ツだけ」

と云う顔を俯向《うつむ》けて、恥かしそうに又手を支《つ》く。

「舞えるかえ、舞えるのかえ」

と女中は嬉《うれ》しそうな声をして、

「おお、踊や言うで明《あ》かんのじゃ。舞えるのなら立っておくれ。このお座敷、遠慮はいらん。待ちなはれ、地《じ》が要ろう。これ喜野、彼処《あすこ》の広間へ行ってな、内の千がそう言うたて、誰でも弾《はじ》けるのを借りて来やよ」

とぽんとしていた小女の喜野が立とうとする、と、名告《なの》ったお千が、打傾いて、優しく口許を一寸《ちょいと》曲げて傾いて、

「待って、待って」

十七

「平時《いつも》と違う。……一度軍隊へ行きなさると、日曜でのうては出られぬ、……お国の為《ため》やで、馴れぬ苦労もしなさんす。新兵さんの送別会や。女衆《おんなしゅ》が大勢居ても、一人抜けてもお座敷が寂しくなるもの。

可《い》いわ、旅の恥は掻棄《かきす》てを反対《あべこべ》なが、一泊りのお客さんの前、私が三味線を掻廻そう。お三重さん、立つのは何？　有るものか、無いものか言うも行過ぎた……有るも

のとて無いけれど、どうにか間に合わせたいものではある」

「あら、姉さん」

と、三味線取りに立とうとした、お千の膝《ひざ》を、袖《そで》で圧《おさ》えて、些《ち》とはなじろんだ、お三重の愛嬌《あいきよう》。

「糸に合うなら踊ります。あのな、私のはな、お能の舞の真似なんです」と、言いも果てず、お千の膝に顔を隠して、小父者《おじご》と捻平に背向《そがい》に成った初々《ういうい》しさ。包ましやかな姿ながら、身を揉《も》む姿の着崩れして、袖を離れて畳に長い、襦袢《じゆばん》の袖は媚《なまめ》かしい。

「何、その舞を舞うのかい」と弥次郎兵衛は一言云う。

捻平膝の本をばったり伏せて、

「さて、飲もう。手酌《てじやく》でよし。此処で舞なぞは願い下げじゃ。せめてお題目の太鼓にさっしゃい。ふあはははは」と何故《なぜ》か皺枯《しわが》れた高笑い、この時ばかり天井に哄《どつ》と響いた。

「捻平さん、捻平さん」

「おお」

と不性げに漸《やつ》と応《こた》える。

「何も道中の話の種じゃ。一寸見物をしようと思うね」

「ええ、縁起の悪い事を言わさる。……明日《あす》にも江戸へ帰って、可愛《かわい》い孫娘の顔を見るまでは、死んでもなかなか目は瞑らぬ」

「さてさて捻《ねじ》るわ、ソレ其処《そこ》が捻平さね。勝手になされ。さあ、あの娘《こ》立ったり、この爺様《じいさま》に遠慮はいらぬぞ。それ、何にも芸がないと云うて肩腰さすろうと卑下をする。どんな真似でも一つ遣れば、立派な芸者の面目が立つ。祝儀取るにも心持が可《よ》かろうから、是非見たい。が、しかし心のままにしなよ、決して勤《つとめ》を強《し》いるじゃないぞ」

「あんなに仰有って下さるもの。さあ、どんな事するのや知らんが、まずうても大事ない、大事ない、それ、支度はいらぬかい」

「あい」

と僅《わず》かに身を起すと、紫の襟を噛《か》むように――ふっくりしたのが、あわれに窶《やつ》れた頤《おとがい》深く、恥かしそうに、内懐《うちぶところ》を覗いたが、膚身《はだみ》に着けたと思わるる……胸やや白き衣紋《えもん》を透かして、濃い紫の細い包、袱紗《ふくさ》の縮緬《ちりめん》が飜然《ひらり》と飜《かえ》ると、燭台《しよくだい》に照って、颯《さつ》と輝く、銀の地《じ》の、ああ、白魚の指に重そうな、一本の舞扇。

「先《ま》ず、御免じゃ」

「さらば、其許《そのもと》は目を瞑《ねむ》るだ」

晃然《きらり》とあるのを押頂くよう、前髪を掛けて、扇をその、玉簪《ぎょくさん》の如く額に当てたを、そのまま折目高にきりきりと、月の出汐《でしお》の波の影、静に照々《てらてら》と開くとともに、顔を隠して、反《そ》らした指のみ、両方親骨にちらりと白い。

又川口の汐加減、隣の広間の人動揺《ひとどよ》めきが颯と退《ひ》く。

唯《と》見れば皎然《こうぜん》たる銀の地に、黄金《おうごん》の雲を散らして、紺青《こんじょう》の月、唯一輪を描いたる、扇の影に声澄みて、

「——其《その》時あま人申様《びとまをすやう》、もし此《この》たまを取得《とりえ》たらば、此御《このみ》子《こ》を世《よ》継《つぎ》の御位《みくらゐ》になし給《たま》へと申《まをし》しかば、子細あらじと領承し給ふ、扠《さ》て我子ゆゑに捨ん命、露ほども惜《をし》からじと、千尋《ちひろ》のなはを腰につけ、もし此玉をとり得たらば、此なはを動かすべし、

其時人々ちからをそへ——」*

と調子が緊《しま》って、

「……ひきあげ給へと約束し、一《ひとつ》の利剣を抜持つて」

と扇をきりりと袖を直すと、手練《てだれ》ぞ見ゆる、自《おのず》から、衣紋の位に年長《た》けて、瞳《ひとみ》を定めたその顔《かんばせ》。硝子《ガラス》戸《ど》越《ごし》に月さして、霜の川浪照添《かわなみてりそ》う俤《おもかげ》。膝立《ひざたて》据えた畳にも、燭台の花颯《さっ》と流るる。

「ああ、待てい」

と捻平、力の籠《こも》った声を掛けた。

十八

で、火鉢をずずと傍《そば》へ引いて、

「女中、も些《ちっ》とこれへ火をおくれ。いや、立つに及ばん。その、鉄瓶《てつびん》をはずせば可し」と捻平がいいつける。

この場合なり、何となく、お千も起居《たちい》に身体《からだ》が緊った。

静に炭火を移させながら、捻平は膝をずらすと、革鞄《かばん》などは次の室《ま》へ……それだけ床の間に差置いた……車の上でも頸《うなじ》に掛けた風呂敷包を、重いもののように両手で柔かに取って、膝の上へ据えながら、お千の顔を除《よ》けて、火鉢の上へ片手を裏表かざしつつ、

「ああ、これ、お三重さんとか言うの、そのお娘《こ》、手を上げられい。さ、手を上げて」

と言う。……お三重は利剣で立とうとしたのを、慌《あわただ》しく捻平に留められたので、この時まで、差開いたその舞扇が、唇の花に霞《かす》むまで、俯向いた顔をひたと額につけて、片手を畳に支《つ》いていた。こう捻平に声懸けられて、わずかに顔を振上げながら、きり

きりと一先《ま》ず閉じると、その扇を畳むに連れて、今まで、濶《かつ》と瞳を張って見据えていた眼《まなこ》を、次第に塞《ふさ》いだ弥次郎兵衛は、ものも言わず、火鉢のふちに、ぶるぶると震う指を、と支えた態《なり》の、巻莨《まきたばこ》から、音もしないで、ほろほろと灰がこぼれる。

捻平座蒲団《ざぶとん》を一膝出て、

「いや、更《あらた》めて、熟《とく》と、見せて貰《もら》おうじゃが、先ず此方《こっち》へ寄らしゃれ。ええ、今の謡《うたい》の、気組みと、その形《かた》。教えも教えた、さて、習いも習うたの。こうまでこれを教うるものは、四国の果にも他《ほか》にはあるまい。あらかた人は分ったが、それとなく音信《たより》も聞きたい。の、其許《そこ》も黙って聞かっしゃい」

と弥次が方《かた》に、捻平目遣《めづか》いを一つして、

「先ず、どうして、誰から、御身《おみ》は習うたの」

「はい」

と弱々と返事した。お三重はもう、他愛《たわい》なく娘に成って、ほろりとして、

「あの、前刻《さっき》も申しましたように、不器用も通越した、調子はずれ、その上覚えが悪うござんして、長唄の宵《よい》や待ちの三味線《さみせん》のテンもツンも分りません。この間まで居りました、山田の新町の姉さんが、朝と昼と、手隙《てすき》な時は晩方も、日に三度ずつも、あの噛んで含めて、胸を割って刻込《きざみこ》むように教えて下すったんでございますけれど、自

分でも悲しい。……暁の、とだけ十日かかって、漸《やっ》と真似だけ弾けますと、夢に成ってもう手が違い、心では思いながら、三の手が一へ滑《すべ》って、*とぼけたような音《ね》がします。

撥《ばち》で咽喉《のど》を引裂かれ、煙管《きせる》で胸を打たれたのも、糸を切った数より多い。

それも何も、邪険でするのではないのです。……私が、な、まだその前に、鳥羽《とば》の廓《くるわ》に居ました時、……」

「ああ、お前さんは、鳥羽のものかい、志摩だな」

と弥次郎兵衛がフト聞入れた。

「否《いえ》、私はな、やっぱりお伊勢なんですけれど、父《おとっ》さんが死《な》くなりましてから、継母《ままはは》に売られて行きましたの。はじめに聞いた奉公とは嘘《うそ》のように違います。――お客の言うこと聞かぬ言うて、陸《おか》で悪くば海で稼《かせ》げって、崕《がけ》の下の船着《ふなつき》から、夜になると、男衆に捉《つかま》えられて、小船に積まれて海へ出て、月があっても、島の蔭《かげ》の暗い処《ところ》を、危《あぶな》いなあ、ひやひやする、木の葉のように浮いて歩《ある》行いて、寂《しん》とした海の上で、……悲しい唄を唄います。そしてお客の取れぬ時は、船頭衆の胸に響いて、女が恋しゅうなる禁厭《まじない》じゃ、お茶挽《ひ》いた罰《ばち》や、と云って、船から海へ、びしゃびしゃと追下ろして、汐の干《ひい》た巌《いわ》へ上げて、巌の裂目へ俯向けに口をつけさして、(こいし、こいし) と呼ばせます。若い衆は舳《へさき》に待ってて、声が切れると、栄螺《さざえ》の殻をぴしぴしと打着《ぶつつ》けますの。汐風が濡《ぬ》れて吹く、夏の夜《よる》でも寒いもの。……私のそれは、師走から、寒の中《うち》で、八百八島あると言う、どの島も皆白い。霜風が凍りついた、巌の角は針のような、あの、その上で、(こいし、こいし)って、唇の、しびれるばかり泣いている。咽喉は裂け、舌は凍って、潮を浴びた裙《すそ》から冷え通って、正体がなくなるところを、貝殻で引掻《ひっか》かれて、漸《やっ》と船で正気が付くのは、灯《あかり》もない、何の船やら、あの、まあ、鬼の支《つ》いた棒みるような帆柱の下から、皮の硬《こわ》い大《おおき》な手が出て、引摑《ひっつか》んで抱込《かかえこ》みます。

空には蒼《あお》い星ばかり、海の水は皆黒い。暗《やみ》の夜《よ》の血の池に落ちたようで、ああ、生きているか……千鳥も鳴く、私も泣く。……お恥かしゅうござんす」

と翳《かざ》す扇の利剣に添えて、水のような袖をあて、顔を隠したその風情《ふぜい》。人は声なくして、ただ、ちりちりと、蠟燭《ろうそく》の涙《なんだ》白く散る。

この物語を聞く人々、如何に日和山《ひよりやま》の頂より、志摩の島々、海の凪《なぎ》、霞《かすみ》の池に鶴の舞う、あの麗朗《うららか》なる景色を見たるか。

十九

「泣いてばかりいますから、気の荒いお船頭が、こんな泣虫を買うほどなら、伊良子《いらこ》崎《ざき》の海鼠《なまこ》を蒲団で、弥島《やしま》の烏賊《いか》を遊ぶって、どの船からも投出される。又、あの巌に追上げられて、霜風の間々《あいあい》に、（こいし、こいし）と泣くのでござんす。

手足は凍って貝になっても、（こいし）と泣くのが本望な。巌の裂目を沖へ通って、海の果まで響いて欲しい。もう船も去《い》ね、潮も来い。……そのままで石に成ってしまいたいと思うほど、お客様、私は、あの」

と乱れた繻袢《じゆばん》の袖《そで》を銜《くわ》えた、水紅色《ときいろ》映る瞼《まぶた》のあたり、ほんのりと薄くして、

「心でばかり長い事、思っておりまする人があって。……芸も容色《きりよう》もないものが、生意気を云うようですが、……たとい殺されても、死んでもと、心願掛けておりました。一晩《あるばん》も、やっぱり蒼い灯《ひ》の船に買われて、その船頭衆の言う事を肯《き》かなかったので、此方《こつち》の船へ突返されると、艫《とも》の処に行火《あんか》を跨いで、どぶろくを飲んでいた、私を送りの若い衆《しゆ》がな、玉代《ぎよくだい》だけ損をしやはれ、此方衆《こなたしゆう》の見る前で、この女を、海士《あま》にして慰もうと、月の良《い》い晩でした。

胴の間で着物を脱がして、膚の紐《ひも》へなわを付けて、倒《さかさま》に海の深みへ沈めます。ずんずんと沈んでな、もう奈落《ならく》かと思う時、釣瓶《つるべ》のようにきりきりと、身体を車に引上げて、髪の雫《しずく》も切らせずに、又《また》海へ突込みました。

この時な、その繋《かか》り船に、長崎辺の伯父が一人乗込んでいると云うて、お小遣《こづかい》の無心に来て、泊込《とまりこ》んでおりました、二見から鳥羽がよいの馬車に、馭者《ぎょしゃ》をします、寒中、襯衣《シャツ》一枚に袴服《ずぼん》を穿《は》いた若い人が、私のそんなにされるのが、余り可哀相《あんまかわいそう》な、とそう云うて、伊勢へ帰って、その話をしましたので、今、あの申しました。……

この間まで居りました、古市の新地《しんまち》の姉さんが、随分なお金子《かね》を出して、私を連れ出してくれましたの。

それでな、鳥羽の鬼へも面当《つらあて》に、芸をよく覚えて、立派な芸子に成れやッて、姉さんが、そうやって、目に涙を一杯ためて、ぴしぴし撥《ぶ》で打ちながら、三味線を教えてくれるんですが、どうした因果か、些《ちっ》とも覚えられません。

人さしと、中指と、一寸の間を、一日に三度ずつ、一週間も鳴らしますから、近所隣も迷惑して、御飯もまずいと言うのですえ。

又月の良《い》い晩でした。ああ、今の御主人が、深切なだけ尚《な》お辛《つら》い。……何の、身体の切ない、苦しいだけは、生命《いのち》が絶えればそれで済む。一層《いっそ》また鳥羽へ行って、あの巌に攫《つか》まって、（こいし、こいし）と泣こうか知らぬ、膚の紐になわつけて、海へ入れられるが気安いような、と島も海も目に見えて、ふらふらと月の中を、千鳥が、冥《めい》土《ど》の使いに来て、連れて行かれそうに思いました。……格子《こうし》前《さき》へ流しが来ました。

新町の月影に、露の垂りそうな、あの、ちらちら光る撥音《ばちおと》で、……博多《はかた》帯《おび》しめ、筑前《ちくぜん》絞《しぼ》り——

と、何とも言えぬ好《い》い声で。

(へい、不調法、お喧《やかま》しゅう)って、そのまま行きそうにしたのです。

(ああ、身震《みぶるい》がするほど上手《うま》い、あやかるように拝んで来な、それ、お賽銭《さいせん》をあげる気で)

と滝縞《たきじま》お召の半纏《はんてん》着て、灰に袖のつくほどに、しんみり聞いてやった姉さんが、長火鉢の抽斗《ひきだし》からお宝を出して、キイと、あの繻子《しゅす》が鳴る、帯へ挿《はさ》んだ懐紙《かいし》に捻《ひね》って、私に持たせなすったのを、盆に乗せて、戸を開けると、もう一二間行きなさいます。二人の間にある月をな、影で繋《つな》いで、ちゃっと行って、(是喃《こいし》)と呼んで、出した盆を、振向いてお取りでした。私ゃ、思わずその手に縋《すが》って、涙がひとりでに出ましたえ。男でいながら、こんなにも上手な方があるものを、切《せ》めてその指一本でも、私の身体についたらばと、つい、おろおろと泣いたのです。頬被《ほおかむり》をしていなすった。あの、その、私の手を取ったまま——黙って、少し脇の方へ退《の》いた処で、

(何を泣く)って優しい声で、その門附《かどづけ》が聞いてくれます。もう恥も何も忘れてな、

その、あの、どうしても三味線の覚えられぬ事を話しました」

二十

「よく聞いて、暫時熟《しばらくじっ》と顔を見ていなさいました。

(芸事の出来るように、神へ願懸《がんかけ》をすると云って、夜の明けぬ内、外へ出ろ。鼓《つづみ》ヶ岳《たけ》の裾《すそ》にある、雑樹林《ぞうきばやし》の中へ来い。三日とも思うけれど、主人には、七日と頼んで。すぐ、今夜の明方から。……分ったか。若い女の途中が危い、この入口まで来て待って遣《や》る、化《ばか》されると思うな、夢ではない。……)

とお言いのなり、三味線を胸に附着《くっつ》けて、フイと暗がりへ附着いて、黒塀《くろべい》を去《い》きなさいます。……

その事は言わぬけれど、明方の三時から、夜の白むまで垢離《こり》取って、願懸けすると頼んだら、姉さんは、喜んで、承知してくれました。

殺されたら死ぬ気でな、――大恩のある御主人の、この格子戸も見納めか、と思うようで、軒下へ出て振返って、門《かど》を視《なが》めて、立っているとな。

(おいで)

と云って、突然《いきなり》、背後《うしろ》から手を取りなすった、門附のそのお方。

私はな、よう覚悟はしていたが、天狗《てんぐ》様に攫《さら》われるかと思いましたえ。あとは夢やら現《うつつ》やら。明方内《うち》へ帰ってからも、その後《あと》は二日も三日も唯茫《ただぼう》としておりましたの。……鼓ヶ岳の松風と、五十鈴川《いすずがわ》の流の音と聞えます、雑木の森の暗い中で、その方に教わりました。……舞も、あの、さす手も、ひく手も、唯背後《うしろ》から背中を抱いて下さいますと、私の身体が、舞いました。それだけより存じません。尤《もっと》も、私が、あの、鳥羽《とば》の海へ投入れられた、その身の上も話しました。その方は不思議な事で、私とは敵《かたき》のような中だ事も、種々《いろいろ》入組んではおりますけれど、鼓ヶ岳の裾の話は、誰にも言うな、と口留めをされました。何んにも話がなりません。五日目に、もう可《い》いから、これを舞って座敷をせい。芸なし、とは言うまい、ッて、お記念《かたみ》なり、しるしなりに、この舞扇を下さいました」

と袖で胸へ緊乎《しっか》と抱いて、ぶるぶると肩を震わした、後毛《おくれげ》がはらりと成る。

捻平溜息《ためいき》をして頷《うなず》き、

「いや、能《よ》く分った。教え方も、習い方も、話されずと能く分った。時に、山田に居て、どうじゃな、その舞だけでは勤まらなんだか」

「はい、はじめて謡《うた》いました時は、皆《みんな》が、わっと笑うやら、中には恐《おそろし》い怖《こわ》いと云う人もござんす。何故《なぜ》言うと、五日ばかり、あの私がな、天狗様に誘い出された、と風説《うわさ》したのでござんすから」

「は、如何《いか》にも師匠が魔でなくては、その立方《たちかた》*は習われぬわ。むむ、で、何かの、伊勢にも謡《うたい》うたうものの、五人七人はあろうと思うが、その連中には見せなんだか」

「ええ、物好《ものずき》に試すって、呼んだ方もありましたが、地《じ》をお謡いなさる方が、何じゃこら、些《ちつ》とも、ものに成らぬと言って、すぐにお留《や》めなさいましたの」

「ははあ、いや、その足拍子を入れられては、やわな謡は断《ちぎ》れて飛ぶじゃよ。ははははは、唸《うな》る連中粉灰《こっぱい》*じゃて。かたがたこの桑名へ、住替えとやらしたのかの」

「狐狸《きつねたぬき》や、いや、あの、吠《ほ》えて飛ぶところは、梟《ふくろ》の憑物《つきもの》がしよった、と皆気違にしなさいます。姉さんも、手放すのは可哀相や言って下さいましたけれど、……周囲《まわり》の人が承知しませせず、……この桑名の島屋とは、行《ゆき》かいはせぬ遠い中でも、姉さんの縁続きでござんすから、預けるつもりで寄越されましたの」

「おお、其処《そこ》で、又辛い思をさせられるか。先《ま》ず先ず、それは後でゆっくり聞こう。……そのお娘《こ》、私《わし》も同一《おんなじ》じゃ。天魔でなくて、若い女が、術《わざ》をするはと、仰天したので、手を留めて済まなんだ。さあ、立直して舞うて下さい。大儀じゃろうが一《ひと》さし頼む。私《わし》も久ぶりで可懐《なつか》しい、御身《おんみ》の姿で、若師匠の御意を得よう」

と言《ことば》の中《うち》に、膝《ひざ》で解く、その風呂敷の中を見よ。土佐*の名手が画いたような、紅《あか》い調《しら》べは立田川《たつたがわ》＊、月の裏皮、表皮。玉の砧《きぬた》を、打つや、うつつに、天人も聞けかしとて、雲井、と銘ある秘蔵の塗胴。老《お》いの手《て》捌《さば》き美しく、錦《にしき》に梭《ひ》を、投ぐるよう、さらさらと緒を緊《し》めて、火鉢の火に高く翳《かざ》す、と……呼吸《いき》をのんで驚いたように見ていたお千は、思わず、はっと両手を支《つ》いた。

芸の威厳は争われず、この捻平を誰とかする、七十八歳の翁《おきな》、辺見《へんみ》秀之進《ひでのしん》。近頃孫に代《よ》を譲って、雪叟《せっそう》とて隠居した、小鼓取って、本朝無双の名人である。

いざや、小父者《おじご》は能役者、当流第一の老手、恩地《おんち》源三郎、即是《すなわちこれ》。

この二人は、侯爵《こうしゃくつ》津の守《かみ》が、参官の、仮の館《やかた》に催された、一調の番組を勤め済まして、あとを膝栗毛《ひざくりげ》で帰る途中であった。

二十一

さて、饂飩《うどん》屋では門附の兄哥《あにい》が語り次ぐ。

「いや、それから、種々《いろいろ》勿体《もったい》つける所作《しょさ》があって、やがて大坊主が謡出《うたいだ》した。

聞くと、どうして、思ったより出来ている、按摩《あんま》鍼《はり》の芸ではない。……戸外《おもて》をどッど吹く風の中へ、この声を打撒《ぶちま》けたら、あのピイピイ笛ぐらいに纏《まと》まろうと云うもんです。成程、随分夥間《なかま》には、此奴《こいつ》に（的等《てきら》）扱いにされようと言うのが少くない。

が、私に取っちゃ小敵だった。けれども芸は大事です、侮《あなど》るまい、と気を緊めて、其処で、膝を」

と坐直《すわりなお》ると、肩の按摩が上へ浮いて、門附の衣紋《えもん》が緊る。

「……この膝を丁《ちょう》と叩《たた》いて、黙って二ツ三ツ拍子を取ると、この拍子が尋常《ただ》んじゃない。……親なり師匠の叔父きの膝に、小児《こども》の時から、抱かれて習った相伝だ。対手《あいて》の節の隙間《すきま》を切って、伸縮《のびちぢ》みを緊めつ、緩めつ、声の重味を刎上《はねあ》げて、咽喉《のど》の呼吸を突崩す。寸法を知らず、間《ま》拍子の分らない、満更の素人《しろうと》は、盲目聾《めくらつんぼ》で気にはしないが、些《ち》と商売人の端くれで、聊《いささ》か心得のある対手だと、トンと一つ打たれただけで、もう声が引掛って、節が不状《ぶざま》に蹴躓《けつまず》く。三味線の間《あい》も同一《おんなじ》だ。どうです、意気なお方に釣合わぬ……ン、と一ツ刎ねないと、野暮《やぼ》な矢の字が、とうふにかすがい、糠《ぬか》に釘《くぎ》でぐしゃりと成らあね。

さすがに心得のある奴だけ、商売人にぴたりと一ツ、拍子で声を押伏《おっぷ》せられると、張った調子が直ぐにたるんだ。思えば余計な若気の過失《あやまち》、此方《こっち》は畜生の浅ましさだが、対手は素人の悲しさだ。

あわれや宗山。見る内に、額にたらたらと衝《つ》と汗を流し、死声《しにごえ》を振絞ると、頤《あご》から胸へ膏《あぶら》を絞った……あのその大きな唇が海鼠《なまこ》を干したように乾いて来て、舌が硬《こわ》って呼吸《いき》が発奮《はず》む。わなわなと震える手で、畳を掴むように、うたいながら猪口《ちょこ》を拾おうとするところ、ものの本を未《ま》だ一枚とうたわぬ前《さき》、ピシリと其処《そこ》へ高拍子を打込んだのが、下腹《したっぱら》へ響いて、ドン底から節が抜けたものらしい。

はっと火のような呼吸《いき》を吐《つ》く、トタンに真俯向《まうつむ》けに突伏す時、長々と舌を吐いて、犬のように畳を嘗《な》めた。

（先生、御病気か）

って私あ莞爾《にっこり》したんだ。

（是非聞きたい、平《ひら》にどうか。宗山、この上に聾に成っても、貴下《あなた》のを一番、聞かずには死なれぬ）

と拳《こぶし》を握って、せいせい言ってる。

（按摩さん）

と私は呼んで、

（尾上町《おのえちょう》の藤屋まで、どのくらい離れている）

（何んで）

と聞く。

（間に依っては声が響く。内証で来たんだ。……藤屋には私の声が聞かしたくない、叔父が一人寝てござるんだ。勇士は霜の気勢《けはい》を知るとさ——唯さえ目敏《めざと》い老人《としより》が、この風だから寐《ね》苦しがって、フト起きてでもいるとならない、祝儀は置いた。帰るぜ）

ト宗山が、凝《じっ》と塞《ふさ》いだ目を、ぐるぐると動かして、

（暫《しば》く、今の拍子を打ちなされ……古市《ふるいち》から尾上町まで声が聞えようか、と言いなされる、御大言《ごだいごん》、年のお少《わか》さ。まだ一度《ひとたび》も声は聞かず、顔は固《もと》より見た事もなけれども……当流の大師匠、恩地源三郎どの養子と聞く……同じ喜多八氏の外にはあるまい。さようでござろう、恩地）

と私の名を丁《ちゃん》と言う。

ああ、酔った」

と杯をばたりと落した。

「饒舌《しゃべ》って悪い私の名じゃない。叔父に済まない。二人とも、誰にも言うな……」

と鷹揚《おうよう》で、按摩と女房に目をあしらい。

「私は羽織の裾《すそ》を払って、

（違ったような、当ったような、が、何しろ、東京の的等《てきら》の一人だ。宗家《そうけ》の宗、本山《ほんざん》の山、宗山《そうざん》か。若布《わかめ》の附焼《つけやき》でも土産《みやげ》に持って、東海道を這《は》い上《のぼ》れ。恩地の台所から音信《おとず》れたら、叔父には内証で、居候《いそうろう》の腕白が、独楽《こま》を廻す片手間に、この浦船*でも教

えて遣ろう）

とずずと立つ」

二十二

「痘瘡《あばた》の中に白眼《しろまなこ》を剥《む》いて、よたよたと立上って、憤《いきどお》った声ながら、

(可懐《なつか》しいわ、若旦那、盲人の悲しさ顔は見えぬ。触らせて下され、つかまらせて下され、一撫《ひとな》で、撫でさせて下され）

と言う。

いや、撫でられて堪《たま》りますか。

摺抜《すりぬ》けようとするんだがね、六畳の狭い座敷、盲目《めくら》でも自分の家《うち》だ。素早く、階子《はしご》段《だん》の降口《おりくち》を塞《ふさ》いで、無手《むず》と、大手を拡《ひろ》げたろう。……影が天井へ懸《かか》って、充満《いっぱい》の黒坊主が、汗膏《あせあぶら》を流して撫じょうとする。

いや、その嫉妬執着《しっとしゅうじゃく》の、険な不思議の形相《ぎょうそう》が、今以《もっ》て忘れられない。

(可厭《いや》だ、可厭だ、可厭だ）と、此方《こっち》は夢中に出ようとする、よける、留める、行違うで、やわな、かぐら堂の＊二階中みしみしと鳴る。風は轟々《ごうごう》と当る。唯《ただ》黒雲に捲《ま》かれたようで、可恐《おそろ》しくなった、凄《すご》さは凄し。

衝《つ》と、引潜《ひつくぐ》って、ドンと飛び摺《す》りに、どどどと駈け下りると、ね。

（袖や、止めませい）

と宗山が二階で喚《わめ》いた。皺枯声《しわがれごえ》が、風でぱっと耳に当ると、三四人立騒ぐ女の中から、すっと美しく姿を抜いて、格子《こうし》を開けた門口《かどぐち》で、しっかり摑《つか》まる。吹きつけて揉《も》む風で、颯《さつ》と紅い褄《つま》が搦《から》むように、私に縋《すが》ったのが、結綿《ゆいわた》の、その娘です。

背中を揉んでた、薄茶を出した、あの影法師の妾《めかけ》だろう。

ものを言う清《すず》しい、張《はり》のある目を上から見込んで、構うものか、行きがけだ。

（可愛い人だな、おい、殺されても死んでも、人の玩弄物《おもちゃ》にされるな）

と言捨てに突放《つっぱな》す。

（あれ）と云う声がうしろへ、ぱっと吹飛ばされる風に向って、砂塵《さじん》の中へ、や、躍《おど》り込《こ》むようにして、一散に駈けて帰った。

後に知った、が、妾じゃない。お袖と云うその可愛《かわい》いのは、宗山の娘だったね。それを娘と知っていたら、いや、その時だって気が付いたら、按摩が親の仇敵《かたき》でも、私《わっし》あ退治るんじゃなかったんだ」

と不意にがッくりと胸を折って俯向くと、按摩の手が肩を辷《すべ》って、ぬいと越す。

……その袖の陰で、取るともなく、落した杯を探りながら、

「もしか、按摩が尋ねて来たら、堅く居らん、と言え、と宿のものへ吩附《いいつ》けた。叔父のすやすやは上首尾で、並べて取った床の中へ、すっぽり入って、引被《ひっかぶ》って、可心持《いいこころもち》に寐たんだが。

ああ、寐心の好い思いをしたのは、その晩きりさ。

何故《なぜ》ッて、宗山がその夜の中《うち》に、私に辱《はずかし》められたのを口惜《くや》しがって、傲慢《ごうまん》な奴だけに、ぴしりと、もろい折方《おれかた》、憤死して了《しま》ったんだ。七代《しちだい》まで流儀に祟《たた》る、と手探りでにじり書した遺書《かきおき》を残してな。死んだのは鼓ヶ岳の裾だった。あの広場《ひろっぱ》の雑樹《ぞうき》へ下《さが》って。夜が明けて、漸《や》ッと小止《こやみ》に成った風に、ふらふらとまだ動いていたとさ。

此方《こっち》は何にも知らなかろう、凪は凪《な》ぐ、天気は可《よし》。叔父は一段の上機嫌。……古市を立って二見《ふたみ》へ行った。朝の中《うち》、朝日館と云うのへ入って、いずれ泊る、……先へ鳥羽《とば》へ行って、ゆっくりしようと、直ぐに車で、上の山から、日の出の下、二見の浦の上を通って、日和山《ひよりやま》を桟敷《さじき》に、山の上に、海を青畳にして二人で半日。やがて朝日館へ帰る、……とどうだ。

旅籠《はたご》の表は黒山の人だかりで、内の廊下もごった返す。大袈裟《おおげさ》な事を言うんじゃない。伊勢から私たちに逢《あ》いに来たのだ。按摩の変事と遺書《かきおき》とで、その日の内に国中へ知れ渡った。別にその事について文句は申さぬ。芸事で宗山の留《とどめ》を刺したほどの豪《えら》い方々、是非に一日、山田で謡が聞かして欲しい、と羽織袴《はおりはかま》、フロックで押寄せたろう。いや、叔父が怒るまいか。日本一の不処存もの、恩地源三郎が申渡す、向後一切《いっせつ》、謡を口にすること罷成《まかりな》らん。立処《たちどころ》に勘当だ。さて宗山とか云う盲人、己《おの》が不束《ふつつか》なを知って屈死した心、かくの如きは芸の上の鬼神《おにがみ》なれば、自分は、葬式《とむらい》の送迎《おくりむかい》、墓に謡を手向《たむ》きょう、と人々と約束して、私はその場から追出された。

あとの事は何も知らず、その時から、津々浦々をさすらい歩行《ある》く、門附のはかない身の上」

二十三

「名古屋の大須《おおす》の観音の裏町で、これも浮世に別れたらしい、三味線一挺《いっちょう》、古道具屋の店にあったを工面したのがはじまりで、一銭二銭、三銭じゃ木賃で泊めぬ夜も多し、日数《ひかず》をつもると野宿も半分、京大阪と経めぐって、西は博多まで行ったっけ。

何だか伊勢が気に成って、妙に急いで、逆戻りに又来た。……私が言った唯一言《ひとこと》、（人のおもちゃに成るな）と言ったのを、生命《いのち》がけで守っている。……可愛い娘に逢ったのが一生の思出だ。

どう成るものでもないんだから、早く影をくらましたが、四日市で煩《わずら》って、女房《おかみ》さん」

と呼びかけた。

「お前さんじゃないけれど、深切な人があった。漸《やっ》と足腰が立ったと思いねえ。上方《かみがた》筋《すじ》は何でもない、間違って謡を聞いても、お百姓が、(風呂が沸いた)で竹法螺《たけぼら》吹くも同然だが、東《あずま》へ上って、箱根の山のどてっぱらへ手が掛ると、もう、な、江戸の鼓《つづみ》が響くから、どう我慢が成るものか! うっかり謡をうたいそうで危くって成らないからね、今切《いまぎれ》は越せません。これから大泉原《おおいずみはら》、員弁《いなべ》、阿下岐《あげき》をかけて、大垣街道。岐《ぎ》阜《ふ》へ出たら飛騨越《ひだごえ》で、北国筋へも廻ろうかしら、と富田近所を三日稼《かせ》いで、桑名へ来たのが昨日だった。

その今夜はどうだ。不思議な人を二人見て、遣切《やりき》れなくなってこの家《うち》へ飛込んだ。が、流《ながし》の笛が身体に刺《さ》さる。平時《いつも》よりは尚《な》お激しい。其処《そこ》へ又影を見た。美しい影も見れば、可恐《おそろ》しい影も見た。此処で按摩が殺す気だろう。構うもんか、勝手にしろ、似たものを引《ひき》つけて、とそう覚悟して按摩さん、背中へ摑《つか》って貰《もら》ったんだ。が、筋を抜かれる、身を挘《むし》られる、私が五体は裂けるようだ」

と又差俯向く肩を越して、按摩の手が、それも物に震えながら、はたはたと戦《おのの》きながら、背中に獅嚙《しが》んだ面《つら》の附着《くっつ》く……門附《かどづけ》の袷《あわせ》の褪《あ》せた色は、膚薄《はだうす》な胸を透かして、動《どう》悸《き》が筋に映るよう、あわれ、博多の柳の姿に、土蜘蛛《つちぐも》一つ搦《から》みついたように凄く見える。

「誰や！」

と、不意に吃驚《びっくり》したような女房の声、うしろ見られる神棚の灯《ともし》も暗くなる端《はし》に、べろべろと紙が濡《ぬ》れて、門《かど》の腰障子に穴があいた。それを見咎《みとが》めて一つ喚く、とがたがたと、跫音《あしおと》高く、駈け退《の》いたのは御亭どの。

いや、困った親仁《おやじ》が、一人でない、薪雑棒《まきざっぽう》、棒千切《ぼうちぎ》れで、二人ばかり、若いものを連れていた。

「御老体」

雪叟《せっそう》が小鼓を緊《し》めたのを見て……こう言って、恩地源三郎が儼然《げんぜん》として顧みて、

「破格のお附合い、恐多いな」

と膝《ひざ》に扇を取って会釈《えしゃく》をする。

「相変らず未熟でござる」

と雪叟が礼を返して、そのまま座を下へおりんとした。

「平《ひら》に、それは」

「いや、蒲団《ふとん》の上では、お流儀に失礼じゃ」

「は、その娘《こ》の舞が、甥《おい》の奴の俤《おもかげ》ゆえに、遠慮した、では私も」

と言った時、左右へ、敷物を斉《ひと》しく刎《は》ねた。

「嫁女《よめじょ》、嫁女」

と源三郎、二声呼んで、

「お三重さんか、私は嫁と思うぞ、喜多八の叔父源三郎じゃ、更《あらた》めて一《ひと》さし舞え」

二人の名家が屹《きつ》と居直る。

瞳《ひとみ》の動かぬ気高い顔して、恍惚《うっとり》と見詰めながら、よろよろと引退《ひきさが》る、と黒髪うつる
藤紫、肩も腕《かいな》も嫋娜《なよやか》ながら、袖に構えた扇の利剣、霜夜に声も凜々《りんりん》と、

「……引上げ給へと約束し、一つの利剣を抜持つて……」

肩に綾《あや》なす鼓の手影《てかげ》、雲井の胴に光さし、艶《つや》が添って、名誉が籠《こ》めた心の花に、調《しらべ》
の緒の色、颯《さつ》と燃え、ヤオ、と一つ声が懸《かか》る。

「あっ」

とばかり、屹と見据えた――能楽界の鶴なりしを、雲隠れつ、と惜《おし》まれた――恩地
喜多八、饂飩屋《うどんや》の床几《しょうぎ》から、衝《つ》と片足を土間に落して、

「雪叟が鼓を打つ、鼓を打つ！」と身を揉《も》んだ、胸を切《せ》めて、慌《あわただ》しく取って蔽《おお》うた、
手拭《てぬぐい》に、かっと血を吐いたが、かなぐり棄てると、右手《めて》を摑んで、按摩の手を緊乎《しっか》と

取った。

「祟《たた》らば、祟れ、さあ、按摩。湊屋《みなとや》の門《かど》まで来い。もう一度、若旦那が聞かして遣ろう」

と、引立《ひった》てて、ずいと出た。

「(源三郎)……かくて竜宮に至りて宮中を見れば、其の高さ三十丈の玉塔に、彼玉《かのたま》をこめ置《おき》、香花《こうげ》を備へ、守護神は八竜並居《はちりゅうなみゐ》たり、其外悪魚鰐《そのほかあくぎよわに》の口、遁《のが》れがたしや我命《わがいのち》、さすが恩愛の故郷《ふるさと》のかたぞ恋しき、あの浪のあなたにぞ……」

その時、漲《みなぎ》る心の張に、島田の元結《もとゆい》ふッつと切れ、肩に崩るる緑の黒髪。水に乱れて、灯《ひ》に揺《ゆら》めき、畳の海は裳《もすそ》に澄んで、塵《ちり》も留《とど》めぬ舞振《まいぶり》かな。

「(源三郎)……我子は有らん、父大臣《おとど》もおはすらむ……」

と声が幽《かす》んで、源三郎の地謡《じうた》う節が、フト途絶えようとした時であった。この湊屋の門口で、爽《さわやか》に調子を合わした。……その声、白き虹《にじ》の如《ごと》く、衝《つ》と来て、お三重の姿に射《さ》した。

「(喜多八)……さるにても此《こ》のままに別れ果《はて》なんかなしさよと、涙ぐみて立ちしが……」

「やあ、大事な処、倒れるな」

と源三郎すっと座を立ち、よろめく三重の背《せな》を支えた、老《おい》の腕《かいな》に女浪《めなみ》の袖、この後見の大磐石《だいばんじやく》に、みるの緑の黒髪かけて、颯と翳《かざ》すや舞扇は、銀地に、その、雲も恋人の影も立添う、光を放って、灯《ともしび》を白めて舞うのである。

舞いも舞うた、謡いも謡う。はた雪叟が自得の秘曲に、桑名の海も、トトと大鼓《おおかわ》の拍子を添え、川浪近くタタと鳴って、太鼓の響に汀《みぎわ》を打てば、多度山《たどさん》の霜の頂、月の御在所《ございしよ》ヶ岳《たけ》の影、鎌《かま》ヶ岳、冠《かむり》ヶ岳も冠《かむり》着て、客座に並ぶ気勢《けはい》あり。

小夜更《さよふ》けぬ。町凍《い》てぬ。何処ともなく虚空《おおぞら》に笛の聞えた時、恩地喜多八は唯一人、湊屋の軒の蔭《かげ》に、姿蒼《あお》く、影を濃く立って謡うと、月が棟高く廂《ひさし》を照らして、渠《かれ》の面《おもて》に、扇のような光を投げた。舞の扇と、うら表に、其処でぴたりと合うのである。

「（喜多八）……又思切つて手を合せ、南無《なむ》や志渡寺《しどでら》の観音薩埵《かんのんさつた》の力をあはせてたび給へとて、大悲の利剣を額にあて、竜宮に飛び入れば、左右へはつとぞ退《の》いたりける」

と謡い澄ましつつ、

「背《せな》を貸せ、宗山」と言うとともに、恩地喜多八は疲れた状《さま》して、先刻《さつき》からその裾に、大《おお》きく何やら踞《うずく》まった、形のない、ものの影を、腰掛くるよう、取って引敷《ひつし》くが如くにした。

路《みち》一筋白くして、掛行燈《かけあんどん》の更けた彼方此方《あなたこなた》、杖《つえ》を支《つ》いた按摩も交って、ちらちらと人立ちする。

注　解

高野聖

ページ

八　＊参謀本部編纂の地図　参謀本部は、旧日本陸軍の最高統轄《とうかつ》機関で、国防用兵をつかさどるほか、陸軍大学校、陸軍測量部を管轄した。その測量部で編纂《へんさん》した五万分の一地図は、当時、もっとも信頼のおけるものとして愛用されていた。

九　＊永平寺　福井県吉田郡永平寺町志比《しい》にある曹洞宗《そうとうしゅう》大本山。開山は道元禅師。後嵯峨《ごさが》天皇の寛元元年（1243）に波多野義重が創建した。

一二　＊法然天窓　中央の窪《くぼ》んだ頭。法然上人《しょうにん》（浄土宗の開祖。1133－1212）の頭の形に似ているのでこういう。

一四　＊万金丹　丸薬の名。気付薬。三重県伊勢の朝熊山《あさまやま》に明治の頃まで万金丹薬舗があった。

一五　＊法界坊　歌舞伎狂言『隅田《すみだ》川《がわ》続《ごにちの》俤《おもかげ》』などに登場する鐘勧進の乞食《こじき》坊主。横恋慕をしたり殺人をはかったりという悪僧だが、人気のある劇中人物だった。これは、実在の法界坊（法名了海。近江国《おうみのくに》上品寺《じょうぼんじ》の住職となり、堂宇修築のため諸国を勧進、江戸にいたって廓内有志の寄進により、梵鐘《ぼんしょう》を鋳造した）を芝居風に脚色したものである。

二〇　＊魑魅魍魎　魑魅は山林の異気から生ずるという怪物。魍魎は水中の怪物。あわせて、種々さまざまな妖怪変化《ようかいへんげ》をさす。

三八　＊他生の縁　〈袖摺《そです》り合うも他生の縁〉という諺《ことわざ》があり、ささいなことにも深い因縁が宿っているということ。他生は、今生に対して、前世をさす。

四八　＊野面　恥を知らぬ顔。鉄面皮。

五三　＊嬌瞋　なまめかしい美人の怒り。

五八　＊反魂丹　丸薬の名。食あたり、霍乱《かくらん》（暑気あたり）などに効《き》く。越中富山が元祖で、富山の売薬の中心となるもの。

六八　＊珠履を穿たば　宝石のようなきれいな履物《はきもの》をはいたならば、の意。

六八　＊驪山　中国西北区陝西《せんせい》省関中道臨潼《りんどう》県の東南にある山。秦《しん》の始皇帝はここにある温泉で瘡《きず》を治したと伝え、唐の玄宗皇帝は華清宮を設けて楊貴妃《ようきひ》に浴を賜うたと伝えられる。ここは楊貴妃の故事を頭において言っている。

七二　＊陀羅尼　〔dhārani（梵語《ぼんご》）〕さまざまな種類があるが、とくに呪陀羅尼《じゅだらに》は密教で尊重し、その主体をなす真言が陀羅尼の主体をなすようになった。梵文を翻訳せずそのまま読誦《どくじゅ》するもので、すべての障害をのぞき種々の功徳《くどく》を受けるといわれる。引用の陀羅尼は〈この法師の言葉にしたがわず、危害を加えようとしたものは、頭がずたずたに裂け、恐ろしい大罪を得るであろう〉というほどの意味。

七八　＊狩倉　たがいに獲物を競いあう狩。
七九　＊竹庵養仙木斎　竹庵と養仙と木斎。当時、いずれもごくありふれた医者の名前であった。
七九　＊薬師様　薬師如来《にょらい》のこと。衆生《しゅじょう》の病患を救い、無明の痼疾《こしつ》を癒《いや》すという如来。右手をあげ、左手は膝《ひざ》の上で薬壺を掌の上に載せている。東方浄瑠璃《じょうるり》国の教主。
八〇　＊稀塩酸に単舎利別を混ぜた　単舎利別とはシロップのこと。稀塩酸に混ぜれば甘ずっぱい飲み物となり、胃酸の不足を補う薬として用いられた。
八五　＊天狗道にも三熱の苦悩　神通力を持った天狗の境界にも、のがれがたい三つの苦悩があるの意。三熱は、仏教で竜・蛇などの受ける三つの苦悩のこと。一は熱風、熱砂が骨肉を焼く。二は悪風が吹き荒れて、居所・衣飾を失う。三は金翅鳥《きんしちょう》がやってきて子を獲《と》って食べる。

女客

九〇　＊達引こう　ご馳走しよう。気前をみせておごろう。
九二　＊萌葱縅の鎧　萌葱色（黄緑）の糸を用い札《さね》を綴《つづ》りあわせた鎧《よろい》。ここでは萌葱色の蚊帳《かや》のこと。
九四　＊あいやけ　相役。相手。
一〇一　＊水ならぬ灰にさえ、かず書く　はかないもののたとえに「水に数書く」という言葉があるが、火箸《ひばし》を灰についたお民にかけて、その水ならぬ火鉢の灰に数を書くよりもまだは

国貞えがく　かなげに、の意。

一一六　＊俵藤太　平安前期の下野《しもつけ》の豪族藤原秀郷《ひでさと》の別名。天慶《てんぎよう》三年（940）平将門《たいらのまさかど》の乱を平らげ、功によって鎮守府将軍に任ぜられた。弓術にすぐれ、三上山《みかみやま》の大むかでを退治したという伝説で有名。

一一七　＊さいもん語りのデロレン坊主　浪花節《なにわぶし》語りのこと。さいもん（祭文）はもと神を祭る言葉だったが、江戸時代には山伏《やまぶし》などが法螺貝《ほらがい》や錫《しやく》の音にあわせて珍しい世間話、物語などを節おもしろく語る大道芸となり、さらにそれから浪花節が派生した。この小説の時代には、もうほとんど浪花節と区別のつかないものになっている。法螺貝錫の音がそう聞えるというので「でろれん祭文」といわれたり、また口で「でろれん、でろれん」と囃子《はやし》を入れるようなこともあった。

一一七　＊滝夜叉姫　平将門の娘で伝説上の人物。父の恨みを晴らすため、相馬の古御所にこもり、大宅《おおや》太郎光国《みつくに》を味方に入れようとするが、正体を見破られ、蝦蟇《がま》の妖術《ようじゆつ》で光国とわたりあう。浄瑠璃《じようるり》『将門』（別名『滝夜叉姫』）その他多くのものに取入れられているが、〈(光国の妻) 姫松が松葉燻《いぶし》に〉云々《うんぬん》は、それが更に浪曲風に脚色されたものであろう。

一二六　＊牛は牛づれ〈牛は牛づれ馬は馬づれ〉ともいい、同じたぐいの者同士が連れ立つことのたとえ。

一三〇　*国貞　歌川国貞（1786－1864）浮世絵師。初代歌川豊国の高弟で、その没後にみずから二世豊国を称したが、二世は別におり、三世が正しい。美人画・役者絵などに巧みで、浮世絵後期の第一人者、制作数はきわめて多い。

一三〇　*姉様三千　沢山のお姉さまたち。金沢地方の方言で、若い婦人、お嫁さんなどのことを姉様《あねさま》という。三千は数の多い意。

一三三　*相馬内裏　平将門（別名相馬小次郎）の住居。内裏とは皇居のことだが、将門は天慶二年（939）、下総国猿島《しもうさのくにさしま》にその御殿をつくり、みずから新皇と称した。翌年将門は滅ぼされたが、その荒れた古御所に妖怪《ようかい》が出るという後日譚《たん》（「滝夜叉姫」の項参照）が物語や芝居に取入れられて有名となった。

一三七　*きなかもその上はつかぬ　〈きなか（半銭）〉は〈寸半（きなか）〉で、銭の直径が一寸の半分にすぎぬという意味で、半文、半銭の意。それ以上半文も出せない、それ以上はほんのわずかでも高く買うことはできない、と断わったのである。

一四〇　*松葉の燻る臭気　化け狸や化け狐の正体を見あらわすためには、松葉を焚《た》く煙でいぶすとよいという俗伝がある。

売色鴨南蛮

一四八　*院線電車　国鉄電車の前身。明治四十一年十二月から大正九年五月まで、国有鉄道は、内閣鉄道院で管轄したので、この呼び名があった。

一四九　＊狸が土舟　泥だらけでめちゃめちゃというほどの意味で、狸が土舟（泥でつくった舟）に乗る話はお伽噺《とぎばなし》の『かちかち山』（室町末期頃成立）に出てくる。

一四九　＊例の銅像　広瀬中佐と杉野兵曹長の銅像。戦前まで東京・万世橋通りにあった。

一四九　＊甲武線　現在の中央線の前身。明治二十二年四月、甲武鉄道会社により、まず新宿・立川間が敷設され、その後路線がしだいに延長されたが、明治三十九年十月に国家により買収された。万世橋・東京間の通じたのは、大正八年三月で、この小説の発表（大正九年五月）に約一年さきだっている。

一六一　＊勝奴　歌舞伎の『梅雨《つゆ》小袖《こそで》昔《むかし》八丈《はちじょう》』（河竹《かわたけ》黙阿弥《もくあみ》作、明治六年東京中村座初演）に登場する下剃《したぞり》の勝奴《かつやっこ》、髪結新三《かみゆいしんざ》の弟子。

一六七　＊手のわるさに落ちた　勝負をおりる。

一六七　＊びき　（引・尾季）花ガルタで最後に札をめくる人。

一六八　＊萩、菖蒲、桜、牡丹の合戦　花ガルタの勝負。花ガルタの札は、松、梅、桜、藤、菖蒲《あやめ》、牡丹《ぼたん》、萩《はぎ》、薄《すすき》、菊、紅葉《もみじ》、柳、桐《きり》の十二種が各四枚ずつ四十八枚あり、それをさまざまに組み合せた役で勝負を争う。

一七〇　＊十二階　浅草にあった煉瓦《れんが》造り十二階建の凌雲閣《りょううんかく》。明治二十三年十月、パリのエッフェル塔にならって造られ、売店、展望台、エレベーターなどを備え、東京の新名所となったが、大正十二年の関東大震災で崩壊した。

一七四　＊美人局　夫のある女が夫となれあいで他の男と通じ、そこへ夫が現われてその男から金銭などゆすりとる犯罪。

一七六　＊浦里　新内節『明烏《あけがらす》夢泡雪《ゆめのあわゆき》』をはじめとして、浄瑠璃・歌舞伎などで著名な吉原山名屋の遊女浦里。浦里には春日屋《かすがや》時次郎という恋人がいたが、山名屋の亭主に仲を割《さ》かれて心中した。

一七九　＊巣鴨　東京府立巣鴨病院（現在の都立松沢病院）。当時は、このなかに東大精神科医局があった。

歌行燈

一八二　＊膝栗毛　十返舎一九《じっぺんしゃいっく》作の『東海道中膝栗毛』のこと。滑稽《こっけい》本。弥次郎兵衛と喜多八両名が東海道を連れ立って歩く滑稽な旅を描く。五編の上は、ちょうど桑名から追分までの旅のことが描かれており、それを口ずさみながら、恩地源三郎が弥次郎兵衛を気取っているわけである。

一八三　＊家元の弥次郎兵衛　本家本元（本物）の弥次郎兵衛。『膝栗毛』五編の追加に、連れにはぐれた弥次郎兵衛が、藤屋という宿屋をさがそうとして名を思い出さず、〈何でも棚《たな》からぶらさがっているような名であった。モシモシ妙見町に、ぶらさがっている宿屋はございやせんか〉とたずねて歩くところがある。

一八三　＊西行背負　斜めにかけて背負うこと。

一八三　＊護摩の灰　旅人のように装《よそお》って旅人をだまし、金銭などを盗む泥棒。昔、高野《こうや》の僧の姿をして、弘法大師の護摩の灰だと押売りして歩いた者がおり、そこからこの名がおこったという。『膝栗毛』二編の上には、弥次喜多が護摩の灰に会って、すってんてんになる話があり、また五編の上には、喜多八が護摩の灰の疑いをかけられる話がある。

一八五　＊法性寺入道前の関白太政大臣　早ことばに〈法性寺の入道前関白太政大臣といったれば腹をお立ちなすったから、今度っから法性寺入道前関白太政大臣様と言おう、法性寺入道前関白太政大臣様〉というのがある。車夫が面倒がって早口でしゃべったのを、こいつずいぶん早口でやっつけたぜとでも言ってからかう気持を、実際の早口ことばで表わしたわけである。

一八六　＊しょうろく四銭　六のことを正六という。「正六四文」は六十四文のこと。

一八七　＊石高路　石がたくさんころがっている凸凹《でこぼこ》の道。

一八七　＊金棒　頭部に数個の鉄輪をつけた鉄棒で、道中や夜回りの警戒に持って歩く。下を地面につくごとに、輪がちゃりちゃりと鳴る。

一八七　＊獺が祭礼をして　獺《かわうそ》が捕えた魚をたくさん並べておくのを、獺が魚を祭っていると見たてて獺の祭という。

一八七　＊地口行燈　地口をしるした行燈。戯画などを書きそえ、祭礼の時など道ばたに立てる。地口は洒落《しゃれ》言葉の一種で、〈信州信濃《しなの》の新蕎麦《しんそば》よりも私やお前のそば（側と蕎麦をかける）がよい〉などのたぐい。

一八八　＊転進　三味線の頭の糸を巻きつけるところ。ここで糸の張りを調節する。転手《てんじゅ》ともいう。

一八九　*出ないぜえ　御祝儀などは出ないぜ、何もやるものはないぜ、の意。

一九一　*小取廻し　器用にまわし。肩から紐《ひも》で吊《つ》り前の方へかかえていた三味線を、小器用に後の方へとりまわしたわけである。

一九一　*鉄拐に　乱暴に、の意。ふつう「鉄火」と書く。

一九二　*お方　妻の呼び方。古くは貴人の妻妾子女《さいしょうしじょ》の敬称だったが、後には普通の人の妻にも言うようになった。

一九三　*鉢叩き　空也《くうや》念仏のこと。空也上人《しょうにん》が始めたといわれるもので、鉢を叩き、鉦《かね》を鳴らし、無常頌文《しょうもん》を唱えて欣喜雀躍《きんきじゃくやく》の情をあらわして踊る。

一九三　*身上は北山　財産のほうはまるですってんてん。北山は「来た」にかけた洒落で、腹のへったのを〈腹が北山〉とか、魚のくさったのを〈この魚は北山だ〉などという。

一九四　*醬油の雨宿りか、鰹節の行者　饂飩《うどん》屋で人を泊めるわけはなく、置いておくのは醬油か鰹節《かつおぶし》くらいなものだろうということを洒落ていったもの。

一九六　*饂飩の帳の伸縮みは、加減だけで済むものを、醬油に水を割算段　饂飩の売上げ帳で、売上げの伸びたか縮んだか（饂飩が伸びる、伸びないにかける）は、足し算、引算（料理の手加減とかける）だけで済むものを、醬油に水を割るような余計な割算などをしている、の意。

〈二進が一進、二一天作の五……〉はそろばんで割算をするための九九。

二〇〇　*見越入道　化け物の一種。首が長く、背たけの高い入道姿の化け物で、塀《へい》や屛風《びょうぶ》の上などからすうっと覗《のぞ》くという。

二〇〇　＊雪女郎　雪おんな。雪国の伝説で、雪の降る時に出るという雪の精。白い衣を着た女の姿で現われるという。

二〇〇　＊化の慶庵　化け物の仲介周旋業者。慶庵は、江戸時代の奉公人紹介業、または業者。

二〇一　＊ヤヤ、難有い、仏壇の中に美婦が見えるわ、簀の子の天井から落ちたい『膝栗毛』二編下に、喜多八が、若い順礼娘のつもりで間違って老婆《ろうば》のところへ忍びこみ、びっくりして逃げるはずみに竹の簀の子の天井を踏みぬき、仏壇の中へ落ちる話がある。宿の婆様の姿からそれを思い出して冗談口をたたいたわけである。

二〇一　＊臨風榜可小楼　涼風に臨み舟こぐ音もこころよい宿、というほどの意味。

二〇二　＊支度はしません　女中が御飯の支度をなさいますかと言ったのを、わざと出発の支度と取違えて言ってみせたもので、あくまで弥次郎兵衛気取りである。

二〇四　＊藤屋『膝栗毛』五編の追加で、弥次喜多は古市の旅宿藤屋へ泊り、宿の亭主の案内で遊廓《ゆうかく》に遊んだり、またそこを根城に伊勢神宮にお参りしたりする。

二〇九　＊勧進帳　歌舞伎十八番の一。並木五瓶《ごへい》作。義経主従が山伏姿に身をやつし、陸奥《みちのく》さして落ちていく途中、安宅《あたか》の関《せき》で関守富樫《とがし》左衛門にとがめられる。弁慶は、主君の危急を救うため、ただの巻物を勧進帳と見せて読みあげたり、義経を金剛杖《こんごうづえ》で打ってみせたりする。富樫にも情に感ずる心があり、主従は無事関を越えて行く。

二〇九　＊二方荒神鞍なしで、真中へ乗りやしょう　二方荒神《にほうこうじん》とは二宝荒神（三宝《さんぼう》荒神のもじり）

で、一頭の馬の背の両側に櫓《やぐら》を置いて二人乗ること。『膝栗毛』五編下に、弥次喜多が、二宝荒神で乗せろと言ったが、馬子が枠《わく》（二宝荒神のための鞍《くら》）を用意してないと言うので、喜多八だけ一人乗っていくところがある。ここは、その膝栗毛の一節と〈捻平《ねじべい》の話にのろう〉の乗ろうとをかけたもの。

二一〇　*芸がたぎった　芸がことにすぐれること。

二一三　*箱屋　客席に出る芸妓《げいぎ》に従って、箱に入れた三味線を持って行く男。

二一四　*伊勢の浜荻　菟玖玻《つくば》集に〈草の名も所によりて変るなり、難波の蘆《あし》は伊勢の浜荻《はまおぎ》〉とある。ここでは、それと同じように、所がかわれば名や品物のかわることのたとえ。

二一四　*道陸神　道祖神の訛《なま》り。道路の悪魔を防いで行人を守護するという神。

二一四　*めんない千鳥　普通は鬼ごっこの一種で、一人がめかくしをし、他の逃げる子たちをつかまえる、子供たちの遊びをいう。ここでは、めくら、盲人のこと。

二一六　*けなりそうに　うらやましそうに。

二一八　*杉山流　鍼術《しんじゅつ》の一派。元禄年間、江戸の検校《けんぎょう》杉山和一《わいち》が創始した。和一は伊勢の人、管《くだ》鍼《はり》の術を発明、将軍綱吉の病を治して関東総録検校となった。

二二二　*雲助が傾城買の昔を語る　雲助は住所不定の浮浪者で、江戸中期以後、駕籠《かご》かきその他で道中の人に取入ろうとすることが多かった。傾城買いは芸者買い。ここは、昔のぜいたくな暮しを語る、流し芸人の今の身の上を、自嘲《じちょう》的に言ったもの。

二二二　*与一兵衛　『仮名手本忠臣蔵』中の人物。早野勘平の妻お軽の父。『忠臣蔵』五段目で斧《おの》九太夫のせがれ定九郎に〈オーイオーイ親仁《おやじ》殿〉と呼びとめられ、お軽を身売りした金をとられた上に殺される。

二三四　＊松風　謡曲の曲名。世阿弥《ぜあみ》作。西国行脚《さいごくあんぎゃ》の途次、摂津国須磨に立ち寄った僧に、松風・村雨《むらさめ》の亡霊があらわれ、彼女らは、かつて行平が須磨に流された時、三年の間その寵《ちょう》を受けた海士《あま》の姉妹だったが、都に帰った行平の後を恋い慕い、狂い苦しむ姿を見せて、僧に訴える。

二三四　＊舞台の差　舞台の上でのさしさわり。物語の上でのさしさわり。

二三五　＊三都無類　どこにも比べられるものがない。三都は、京都、江戸、大坂。

二三二　＊よしこの　よしこの節（囃子の声を〈よしこのよしこの〉といったからいう）。江戸時代の流行歌。内容・形式は都々逸《どどいつ》と同系統で文政の頃から三都に行われ、上方《かみがた》では明治時代まで唄われた。

二三二　＊お座つき　芸妓が宴席に招かれて最初に三味線をひいて歌うこと。また、その歌。

二三七　＊糸瓜の皮で掻廻す　どうともなれという気で、何でもかまわずかき鳴らす。〈糸瓜《へちま》の皮とも思わず〉は、少しも意に介せず、何とも思わず、の意。

二三七　＊庄屋殿が鉄砲二つ　腕を前へ突き出した姿を、庄屋拳《しょうやけん》に見たてて言ったもの、庄屋拳は狐拳《きつねけん》ともいって拳《けん》の一種。両手を開いて両耳のあたりにあげるのが狐、膝《ひざ》の上に両手を置くのが庄屋、左手の拳《こぶし》を握って前に出すのを鉄砲という。庄屋は鉄砲に勝ち、鉄砲は狐に勝ち、狐は庄屋に勝つ。

二四一　＊其時あま人申様……　謡曲『海士《あま》』（世阿弥作）の一節。唐の高宗から贈られた宝玉を竜宮に奪われた淡海公《たんかいこう》が、讃岐《さぬき》国志度浦の賤《いや》しい海士少女《あまおとめ》と契《ちぎ》りを結び、その協力で珠《たま》を取戻すという筋立て。

二四四　＊三の手が一へ滑って　三味線の一番調子の高い三の糸をひく手が、一番低音の一の糸の方へ滑っての意。

二五一　＊立方　地方《じかた》すなわち伴奏者に対して舞い踊る者、あるいは舞い踊ることをいう。

二五一　＊粉灰　細かく砕けること。ここでは、散々にやっつけられたさま。

二五一　＊土佐　大和絵《やまとえ》の土佐派。土佐派は南北朝の頃から朝廷の絵所の預《あずかり》（長官）を世襲して、大和絵の中心的家系となり、後世大和絵はただちに土佐派と称するまでにいたった。光《みつ》長《なが》、光信《みつのぶ》、光起《みつおき》などの名手がいた。

二五二　＊紅い調は立田川　調《しらべ》は調の緒のことで、鼓の両面の縁にかけて胴につけ纏《まと》う紐《ひも》。その色の紅《あか》いのを、流水にもみじ葉を散らした立田川の模様に見たてたもの。

二五五　＊この浦船　謡曲『高砂《たかさご》』のこと。世阿弥作の祝言物の一つ。〈高砂や、この浦船に帆をあげて……〉の一節が、人生の出発を言寿《ことほ》ぐものとして婚礼などでよく謡《うた》われる。

二五六　＊かぐら堂　神社の境内にあって、神楽《かぐら》を奏する殿舎のこと。ここは、二人が立ちまわりを演じている宗山の家を神楽堂に見たてた表現。

三好行雄

解説

吉田精一

尾崎紅葉がある作品の冒頭に「またしても女ものがたり」(実はこの語は早く西鶴《さいかく》が用いたのを襲用したのである)といったのに対し、泉鏡花は、「又してもお化けものがたり」と、ある時書き起した。彼は人も知る紅葉門の高足、紅葉が最も愛した弟子である。しかしこの師と弟子とは著しく性格、特色を異にした。共に日本の近代文学史上に光を争う巨星であるにしても、前者が常識的な市井人《しせい》で、レアリスティックな作風をとるのに反して、後者は異常な神経と、感覚をもって、常識を超《こ》えた、神秘の世界に生きた。近代作家としては珍しくも、現実と非現実との境目をはっきりもち合せなかった人であった。この書には、「お化け」の好きな鏡花の作品中、『高野聖』を除いて、妖怪変化《ようかいへんげ》の活躍しない名作を収めた。合理主義と科学精神にやしなわれた昭和の人々にあっては、このへんから入って鏡花文学の味を知り、鏡花世界になじみが出来てから、更に幽玄神怪な不自然の境域に進むのが順序かも知れない。

しかしお化けが出ないと云っても、それは草双紙や歌舞伎やでおなじみの幽霊や変化が姿をあらわさぬというだけの話である。鏡花は白昼日本橋の雑閙《ざっとう》の中においてすら、怪性《けしょう》のものの影に怖《おび》え、電車の行き交《か》う往来に落ちている一草一石にも、何か神秘の匂《にお》いをかぎとらずにはいなかった。彼には平板な現実を現実としてながめることができない。自然も人間も、更に幽玄な何者かの象徴として、彼の感覚の中に溶かしこまれ、はじめて表現の場にのぼるのである。それにしても、怪異を信ぜぬ健康な知性と感性のもち主をして、鏡花が建立《こんりゅう》する超理念の世界に陶酔せしめるためには、非現実を現実として実感させる大非凡な表現力を必要とする。幸いにも鏡花にはそれがあった。彼において日本語の表現力の極致が見られるとは、批評家の口をそろえて許すところであった。

この編巻頭にとった『高野聖』は、明治三十三年、作者二十八歳の折の作である。人も知る彼の代表作品で、妖怪を描いて最も成功し、象徴の域にせまったものである。私は別に詳細な『高野聖』研究を書いているので（『近代日本浪漫主義研究』所載）、委細はそれにゆずるが、慕い寄る男性を馬や猿やむささびやに化する女怪は、支那小説『三娘子』からヒントを得、更に彼の一友人が、物語の場所である飛騨《ひだ》天生《あもう》峠の孤家《ひとつや》に宿った体験談を合せて、作者一流の空想をほしいままにしたものである。蒼空《あおぞら》にも雨が降るという飛騨越えの難所、蛇や蛭《ひる》の棲《す》む山道は、人生行路の苦難を意味するのであろう。語り手たる旅僧が強《し》いてこの危険な道を選んだのは、ブルジョア的卑俗、功利の化身のような富山の売薬を憎んだためであって、ここにこの時代にブルジョアのモラルに面《つら》を反《そむ》ける者のたどらねばならぬ宿命が暗示される。峠の孤家に住まう婀《あ》娜《だ》な、中年増《ちゅうどしま》の美人とその白痴の亭主とは、封建的な因襲の下にむすばれる夫婦生活が、鏡花の眼にかく観ぜられたととれないことはない。フェミニスト鏡花が描く妻は多くは美にして艶《えん》であって、薄汚ない亭主野郎の圧力のもとに虐《しいた》げられ、ままならぬ世を送るのである。このような女性観は、この編にとった『女客』のお民にも、又『国貞えがく』の女房にも、『売色鴨南蛮』のお千にも、その趣が見られるであろう。愛情なくただ肉欲をもってのみ婦人に近づく世の男性、それが人間の化《け》した馬や猿やむささびやの姿であって、旅僧ひとりが身を全《まっと》うしたのは、その愛情の無垢《むく》で純一なためであったとすれば、ここに作者のもつ恋愛観が見られる。かように見れば『高野聖』の舞台、布置は、ロマンティックな詩人の目に映じた人生の縮図である。しかし、かように分析すればとにかく、読過する間には概念的な影すらも宿っていない。月光に輝やく山頂の谷川、陰森の気漲《みなぎ》る破れた孤家、肌の色匂うばかりの裸体の美女、いずれもさながらドイツの浪漫派の情景である。この神秘幽怪な書き割りの中に、作者はデモーニッシュな感情の奔騰《ほんとう》に身を任せ、狂熱的に苦しみ、叫び、泣き、狂う。蛭の林や、滝の水沫《しぶき》や、「動」を写して神技に近い作者の筆致には、妖魔を実感し、神秘に生き切った作者の体験の裏打ちがある。日本文学史上、上田秋成の『雨月物語』をのぞいては、絶えて無くして稀《まれ》にある名作というべきである。

作中でのすなおで、レアリスティックな佳作である。幾分味は濃いが、『売色鴨南蛮』『女客』(明治三十八年)と『国貞えがく』(四十三年)は、虚構と誇張のない、鏡花(大正九年)を加えてそう言ってもよい。そうしてこの三作には、作者の経験、閲歴との交渉が深い。『国貞えがく』に、故郷加賀の金沢に、貧しい彫工を父とし、早く母を失って祖母に育てられた幼時の生活がうかがわれれば、『女客』にはやや長じてなお生活を立てることを得ず、幾度も死を思った頃の実感がにじみ出ている。『売色鴨南蛮』は、明治二十三年十七歳で上京して約一年、東京の陋巷《ろうこう》に転々した悲惨な体験をもととしたのであろう。そして『女客』と『国貞えがく』はもっとも事実に近く、いうところの作者の「私小説」に近いと見られる。

この三作の中心をなして流れるものは、中年に達した作者の少年時代への憧憬《どうけい》の情である。洋の東西を問わず、浪漫主義芸術の根本性格の一つが、純粋なもの、無垢なものをもとめて、人性の故郷なる幼年時代を志向するところに存することは、ここに説くまでもあるまい。それはあるいは現世の苛酷《かこく》を嫌って、魂の避難所をもとめる弱者の精神方向であると難ぜられるかも知れない。しかし何らの抵抗なくしての逃避ではない。この三作を通じて、お民の夫（これは幾分弱いが）平吉、更に熊沢はじめお千をとりまく一団の戯画《カリカチユア》めいた誇張のうちに、作者の醜悪なもの、低俗なものに対するはげしい嫌悪《けんお》と、反抗とを読みとらなくてはなるまい。

巻末の『歌行燈』は明治四十三年の作で、『売色鴨南蛮』より先立っている。鏡花の全作中にあって『高野聖』と双璧《そうへき》をなす神品である。この作品についても私は精《くわ》しい研究を発表したことがある。要を摘《つま》んで言えば、鏡花は友人笹川臨風、後藤宙外らと四十二年の初冬伊勢に講演旅行し、山田、鳥羽《とば》、桑名を巡遊した。物語の背景が、この三個所に設定された理由はここにある。この旅は親しい友同志のそれだけに弥次喜多気分にあふれていたが、ことに鏡花は膝栗毛《ひざくりげ》の五編を携帯し、聖書と称して読み上げたという。その言行が作中にいかに小説化して表現されているかは読者が容易にたどり得るであろう。

作家にとっては、ある風景、ある場所が因縁となって、日ごろ胸にたたんでいた素材の醱酵《はっこう》するもととなることがある。『歌行燈』もおそらくこの種の作で、桑名の町の夜景を得、揖斐《いび》川の河口にのぞんで、はるかに知多半島の翠黛《すいたい》を一眸《いちぼう》に収める湊屋《みなとや》

（実は船津屋という）の旅泊を得て、長い間の意図を成就することができたのであろう。素材の中心をなす能楽については鏡花の伯父に宝生流の名手松本金太郎があり、その関係から、彼がこの道に親しんだことは深いものがある。全作中多少とも能狂言にふれたものは十指にあまるであろう。そうして『歌行燈』の直接な素材は、宝生流の家元、宝生九郎と、天才的な門人瀬尾要との関係をさながらに移している。作中の恩地源三郎は九郎に伯父金太郎の人柄を加味して、鏡花風に錬《ね》り上げたものにほかならぬ。

この作品の構成も特異なもので、散文小説の常道をはずれ、ある意味では映画的で、ある意味では能楽的である。すなわち同じ時間に行われている二つの異なった場面を平行して移動させつつ、数年間の物語の筋をそこにたたみこんで行く。この手法は小説的であるより、劇的というべく、劇的というより、映画的というのが適切であろう。しかもその進行法は、能楽の構成原理である序破急五段の強調漸層法にのっとっている。悠揚《ゆうよう》たる出だしで、徐々に雰囲気《ふんいき》を構成し、ゆるやかな展開から、次第に終りに近づくにつれて場面の転換も小きざみに、速《すみ》やかに最後の急の段ともなれば、にわかに急迫の調を帯びる。――かなたにお三重が颯《さつ》と燃ゆる調べの緒の色によろよろと立てば、こなたに喜多八が鼓《つづみ》の音につっ立ち上がる。源三郎の謡《うたい》とお三重の舞と喜多八の謡と入り乱れて、しめつ、緩めつ畳み上がって来た感動の最高調の渦の中に、舞いつづけ謡いつづける最終の場面は、乱拍子うって急激に舞い収める能楽の終局と変るところがない。

さて、この所と、人と、構成をもって、鏡花が強調した主題はまず「芸」の威信である。芸三昧《ざんまい》の境地がつくり出す一種の超現実な至上境、それこそ芸道に徹した者の生きる人生の法悦の境地であろう。小説もまたこの意味の芸道にほかならぬとは彼の信条であった。かような信仰に生きる鏡花芸術の根本精神は、能の遊狂精神に通うものがある。能における狂女物の主人公は、論理や心理の域を踏みこえ、忽《たちま》ち天の第九層に翔《あまが》けって、恍惚《こうこつ》のうちに狂いまわる。それが能の見場《みば》であり、中心である。我々はこれを現実から非現実への、散文から詩への飛躍と解する。論理的な心理の追求をもって、人間精神を曲書しようとする近代小説とは、全くうらはらな意味と狙《ねら》いがここにはある。これは散文によって構成し、文字によって描くには至難の世界であろう。しかし『歌行燈』における鏡花の主観は大きくはばたいて、よくこの芸道の神が生む一種の神秘的な高所にまでかけ上った。我々は作者の「芸」の威信にはたとうたれる思いがありはしまいか。ある評家（中戸川吉二《なかとがわきちじ》）は『歌行燈』の作者は日本一の詩人だ、と言った。少なくともそこに散在する不合理をも誇張をも忘れはて、恍惚のうちに読者を彷徨《ほうこう》させるのがこの作品の極致であり、その意味で比類もない名人の名作であることは誰も否定し得ない。日本はこの作家と作品を有したことを、世界に誇ってよいのである。

（昭和二十五年二月二五日、国文学者）

表記について

新潮文庫の文字表記については、原文を尊重するという見地に立ち、次のように方針を定めました。

一、旧仮名づかいで書かれた口語文の作品は、新仮名づかいに改める。

二、文語文の作品は旧仮名づかいのままとする。

三、旧字体で書かれているものは、原則として新字体に改める。

四、難読と思われる語には振仮名をつける。

五、漢字表記の代名詞・副詞・接続詞等のうち、特定の語については仮名に改める。

本書は旧仮名づかいで書かれていたものを前記の方針により、現代仮名づかいに改めた。ただし、文中に引用の文語文の部分は旧仮名づかいのままとした。この部分の振仮名は旧仮名づかいによる。

第五項に該当する語は次のようなものである。

恰も→あたかも	啊呀→あなや	那の→あの
…歟→…か	…か知ら→…かしら	…切り→…きり
…して呉れ→…してくれ	恁う→こう	此(の)→この
此・之・是→これ	恁麼→こんな	有繋→さすが
嘸→さぞ	薩張→さっぱり	扨て→さて
然様→さよう	然う→そう	而して→そして
其(の)→その	其→それ	那様→そんな

詰り→つまり
左も右も→ともかくも
成り(る)たけ→なり(る)たけ
…儘→…まま
軈て→やがて

何う(の)→どう(の)
甚麼→どんな
果敢い→はかない
宛で→まるで

到底も→とても
喃→なあ
弗と→ふと
最う→もう

歌行燈《うたあんどん》・高野聖《こうやひじり》

新潮文庫　い - 6 - 1

昭和二十五年八月十三日発行
平成十五年九月十日　六十九刷改版
令和七年一月十五日　八十七刷

著者　泉《いずみ》鏡《きょう》花《か》

発行者　佐藤隆信

発行所　株式会社　新潮社

郵便番号　一六二―八七一一
東京都新宿区矢来町七一
電話　編集部(〇三)三二六六―五四四〇
　　　読者係(〇三)三二六六―五一一一
https://www.shinchosha.co.jp

価格はカバーに表示してあります。

乱丁・落丁本は、ご面倒ですが小社読者係宛ご送付ください。送料小社負担にてお取替えいたします。

印刷・錦明印刷株式会社　製本・錦明印刷株式会社
Printed in Japan

ISBN978-4-10-105601-2 C0193